Gen Z

ANNAHITA ESMAILZADEH • YAËL MEIER
STEPHANIE BIRKNER • JULIUS DE GRUYTER
JO DIETRICH • HAUKE SCHWIEZER (HG.)

FÜR ENTSCHEIDER:INNEN

Gen Z

Campus Verlag
Frankfurt/New York

MIX
Papier aus verantwortungsvollen Quellen
FSC® C089473
www.fsc.org

Klimaneutral
Papier
ClimatePartner.com/13732-1910-1001

ISBN 978-3-593-51626-4 Print
ISBN 978-3-593-45241-8 E-Book (PDF)
ISBN 978-3-593-45240-1 E-Book (EPUB)

Umschlaggestaltung: Lorena Lucek
Avatare: Lorena Lucek
Satz: DeinSatz Marburg UG | tn
Gesetzt aus der Minion und der Helevetica.
Druck und Bindung: Beltz Grafische Betriebe GmbH, Bad Langensalza
Beltz Grafische Betriebe ist ein klimaneutrales Unternehmen (ID 15985-2104-1001).
Printed in Germany

www.campus.de

ARTIVIVE

Erwecken Sie die Avatare im Buch und auf den Umschlaginnenseiten zum Leben

Erleben Sie die Avatare mithilfe von Augmented-Reality in einer neuen Dimension. Starten Sie die Artivive App und richten Sie Ihr Smartphone auf die Avatare, um diese zum Leben zu erwecken.

App Store
Google Play

1. **Installieren** Sie die Artivive App

2. **Öffnen** Sie die App

3. **Richten** Sie Ihr Smartphone auf die einzelnen Avatare

Inhalt

FRAGE 2
Welche Fähigkeiten zeichnen die Gen Z aus, und wie setze ich diese bestmöglich ein? (Führung)

FRAGE 3
Wie erreiche ich die GenZ als Zielgruppe? (Marketing)

FRAGE 4
Wie sieht ein Umfeld aus, in dem die Gen Z ihr Potenzial unternehmerisch voll entfalten kann? (Entrepreneurship und Intrapreneurship)

TEIL 3
Gen Z Actions
Impulse für die Zusammenarbeit mit der digitalen Generation

TEIL 1

Gen Z Basics

Hintergründe zu der digitalen Generation

Gen Z – Zukunftsversprechen oder Problemfall?

Für die einen sind sie ein riesiges Potenzial an Hoffnungsträger:innen, für die anderen die blanke Horrorvision: Junge Menschen, geboren zwischen 1995 und 2010, die sogenannte Generation Z (Gen Z). Im Jahr 2022 sind sie 12 bis 27 Jahre alt. Und sie sind nicht wenige. Nach Angaben der jeweiligen statistischen Ämter zählen in Deutschland etwas mehr als elf Millionen Kinder, Jugendliche und junge Erwachsene zur Gen Z, in Österreich und der Schweiz sind es jeweils fast 1,4 Millionen.

Viele von ihnen gehen noch zur Schule oder studieren. Andere stecken mitten in einer beruflichen Ausbildung. Und ein Teil ist bereits auf dem Arbeitsmarkt angekommen. Da sollte man doch ein ziemlich deutliches Bild von der Gen Z haben, nicht wahr? Zum Beispiel was sie vom Leben und vom Job erwarten, was sie mögen und was nicht, was sie zu bieten haben, wie sie drauf sind, wie sie ticken. Doch so einfach ist es nicht. Denn schaut man aus der Distanz auf die Gen Z, dann glaubt man ein Vexierbild vor sich zu haben, deutlich und unsichtbar zugleich.

Was diesem Buch Anspruch und Ziel gibt: Wir schauen genau hin, um das Profil dieser nachwachsenden Generation deutlich zu machen. Wir machen das Unsichtbare sichtbar, und wenn sich dabei Widersprüche zeigen, dann lösen wir sie auf. Spoiler: Nach Ansicht von HR-Manager:innen hat man es mit dem fähigsten Nachwuchs aller Zeiten oder den illoyalsten Jobbern zu tun. Anders als bei den scharf konturierten X- oder Y-Typen gibt es hier genau zwei Meinungen. Je nachdem, aus welchem Blickwinkel man hinguckt, bietet sich ein anderes Bild. Wer hat Recht? Tasten wir uns mit der ersten Frage an die Antwort heran:

Was unterscheidet die Gen Z von ihren Vorgänger:innen?

Was die Gen Z, auch Digital Natives oder Zoomer genannt, am meisten von ihren Vorgänger:innen unterscheidet, ist ihre intuitive Vertrautheit mit dem Internet. Die zwischen 1965 und 1980 geborene Generation X hat die virtuelle Welt des World Wide Web geschaffen. Ihre Nachfolgerin, die zwischen 1981 und 1995 geborene Generation Y, hat darin Märkte aufgebaut und sich mit den im Flug entstandenen sozialen Medien vertraut gemacht. Die Gen Z nun ist die erste Generation von Menschen, die sich im Internet ebenso zu Hause fühlt wie im richtigen Leben. Dort erleben sie sowohl dessen Schattenseiten – Überlebenszwang, Beziehungsstress, Selbstoptimierungsdruck – als auch sonnige Ecken, wie der schnelle Euro, Schmetterlinge im Bauch und »you're f.cking cool«-Erfolgserlebnisse. Wissen und Gefühl, Nähe und Distanz, etwas zum Aufputschen und zum Runterkommen, all das finden sie auch an ihrem Zweitwohnsitz im Internet, vom Sofa aus nur einen Tastenklick entfernt.

Das ist das Wichtigste, was man von der Gen Z wissen muss. Es steht gewissermaßen vor der Klammer mit all den Ungereimtheiten und Gegensätzen, die in Gesprächen mit Kenner:innen einzelner Vertreter:innen der Spezies Z auftauchen. Man sollte diese Widersprüchlichkeit bei allem, was man über die jungen Menschen hört oder sieht oder erfährt, im Hinterkopf haben. Und verstehen, wie es dazu kam.

Wie sie wurden, wie sie sind

Jede Generation wird durch die Zeit bestimmt, in der sie aufwächst. Das kollektive Gedächtnis prägt das individuelle Verständnis von Gesellschaft und Wirtschaft. Ein Beispiel: Wenn Jugendliche der Gen Z am Flughafen durch die Sicherheitskontrolle gehen, denken sie nicht: »Wie gut, dass hier so gründlich kontrolliert wird.« An die tragischen Ereignisse des 11. September 2001 kann sich keine:r von ihnen erinnern. Vielmehr rätseln sie, warum so viele Menschen fliegen, wenn doch jede:r weiß, wie schädlich der dadurch verursachte CO_2-Ausstoß für das Klima ist. Sie empfinden Flugscham, das heißt, sie haben ein schlechtes Gewissen, wenn sie für 50 Euro günstig von Berlin nach Barcelona jetten. Nachhaltigkeit ist für sie, so formuliert es das Zukunftsinstitut in Frankfurt, »kein totgehypter Trendbegriff, sondern eine Grundhaltung, die sie verinnerlicht haben«. Bei der Ernährung pfeifen sie auf Fleisch und Fertigpamps und greifen zu vegetarischen oder veganen Produkten. Dass bei deren Erzeugung in trockenen Herkunftsländern übermäßig viel Wasser verbraucht und das Klima belastet wird, steht auf einem anderen Blatt.

> *Gen Z:*
> *Wir denken nicht, dass das ein valides Argument ist, um gegen Veganismus zu sein. Fleisch zu essen, verbraucht extrem viel mehr Wasser und belastet das Klima stärker.*

Ja, diese Generation widerspricht sich. But nobody is perfect.

Wenn es ein Icon für die Gen Z gibt, dann ist es das Smartphone. Während ihre Eltern allmählich in die vom Arbeitsmarkt verlangte Digitalisierung hineinwuchsen, haben sie eine Welt ohne Smartphones nie kennen gelernt. Für die Gen Z waren internetfähige Mobiltelefone mit Apps und Wischtechnik keine aufregende Innovation mehr, sondern Teil der Kindheit und natürlicher Bestandteil des Aufwachsens. Schon ehe sie trittsicher standen, konnten sie Handy und Tablet bedienen. Laptops sind den Erwachsenen und der Arbeitswelt vorbehalten. Wenn Jugendliche online gehen, so hat die jüngste *Shell-Jugendstudie* (2019) herausgefunden, nutzen 70 Prozent von ihnen das Smartphone. Laut Selbsteinschätzung sind sie im Durchschnitt 3,7 Stunden am Tag im Netz (wenn man ihre Eltern fragt, sind es doppelt so viele). Dabei spielen Faktoren wie Geschlecht, Alter oder sozialer Hintergrund kaum eine Rolle. Für die Gen Z ist es normal, viel Zeit online zu verbringen. Warum auch nicht. Es ist doch ihr zweites Zuhause.

Die Gen Z »geht« nicht online, sie lebt online

Das zweite prägende Element sind soziale Medien. Die heute 12- bis 27-Jährigen sind mit Facebook, YouTube, TikTok und WhatsApp aufgewachsen. Virtuos nutzen sie diese Medien, um Altersgenoss:innen kennen zu lernen, sich über das Weltgeschehen zu informieren, Celebrities nahezukommen, um rasch und einfach Geld zu verdienen, neue Marken zu promoten und zu entdecken sowie um neue Ideen für alles Mögliche zu finden. Als erste Generation verwenden sie das Smartphone weniger zum Telefonieren, als um damit über Instant-Messaging-Dienste wie Snapchat oder Signal den Kontakt mit Freund:innen zu pflegen.

Social Media dienen der Gen Z als unsichtbare Verbindungsfäden innerhalb ihrer eigenen Peergroups und nach außen hin zu fremden Netzwerken. Sie schicken und lesen Nachrichten, schauen Videos und schlüpfen zum Vergnügen oder aufgrund schlauen Kalküls in unterschiedliche Identitäten, genannt Avatare. Posts, Tweets und Storys im digitalen Raum sind die relevanten Kommunikationswege. Für die Gen Z ist es das Normalste der Welt, ihr Privatleben mit anderen zu teilen und auch permanent Reaktionen darauf zu erhalten. Die Strategieberatung OC&C bringt es in ihrer Studie *Eine Generation ohne Grenzen – Generation Z wird erwachsen* auf den Punkt: »Diese jungen Erwachsenen, Teens und Twens ›gehen‹ nicht online, sie leben online.«

Folgerichtig ist das Internet für die Gen Z die wichtigste politische Informationsquelle. Das sagt die *Shell-Jugendstudie 2019.* Ein Fünftel dieser Altersgruppe greife hin und wieder bis regelmäßig auf Nachrichten-Websites oder News-Portale zu. Zeitungen konsumieren laut der 2022 veröffentlichten *Gen-Z-Studie* von ZEAM und Link heute nur noch knapp 50 Prozent dieser Generation – egal, ob online oder als Printmedium. Dafür werden redaktionelle Social-Media-Angebote, also Informationsquellen und -kanäle in den sozialen Netzwerken, auf Messenger-Apps oder auf YouTube, intensiv genutzt. Das überrascht nicht. Laut der zuletzt genannten Studie streamen jeweils 85 Prozent der Gen Z mindestens einmal je Woche Videos und surfen in den Social Media.

Doch selbst wenn sie weniger stark genutzt werden, genießen klassische Medien auch bei der Gen Z das größte Vertrauen. Informationen auf YouTube misstraut dagegen die Hälfte der Jugendlichen, bei Facebook sind es sogar mehr als zwei Drittel, und auch Twitter gilt als wenig vertrauenswürdig. Diese Einschätzung wirkt sich natürlich auf die Mediennutzung aus. Gen Zler:innen, die sich als besonders politisch interessiert beschreiben, decken ihren Informationsbedarf eher weniger über Social Media.

Im WWW gibt es keine Ländergrenzen

Auch vergleichen sie sich von klein auf nicht nur mit den anderen Kindern aus der Nachbarschaft, sondern über die grenzenlosen sozialen Medien mit Gleichaltrigen auf der ganzen Welt. Das macht sie jenseits ihres Passes zur ersten wahrhaft Global Generation. Die vielen Impulse, die sie von außen suchen und aufnehmen, macht die Gen Z zu einer aktiven, ja unternehmerischen Generation. Schon 13-Jährige finden im Netz Tausende von Anregungen, um eigene Projekte umzusetzen und Menschen für ein gemeinsames Ziel zu begeistern. Noch nie war es leichter, »einfach anzufangen« und für Ideen sofort ein riesiges Publikum zu gewinnen. So entstehen Bewegungen für Klimaschutz wie Fridays for Future oder die Initiative Letzte Generation, die am Straßenasphalt klebend auch über das Internet für den radikalen Umweltschutzschutz wirbt und in kurzer Zeit deutschlandweit Hunderte Mitkämpfer gefunden hat. Im Gründen von Graswurzelbewegungen sind sie pfiffig bis genial. Und wer kann ausschließen, dass aus dem einen oder anderen Halm in Zukunft etwas ganz Großes entsteht?

Wo hat die Gen Z die Nase vorn?

Dank ihrer Sozialisation mit digitalen Geräten und Medien sind die Jugendlichen und jungen Erwachsenen sehr technikaffin und aufgeschlossen, wenn es um die Einführung, Einrichtung und Bedienung cooler Geräte und Anwendungen geht. Schließlich könnte sich daraus ein neuer Trend ergeben, und wer den verpasst, droht unweigerlich aus dem Zentrum des Netzwerks verstoßen zu werden. Vor Ausgrenzung aus dem Kollektiv bewahrt dann nur noch die ostentativ vorgetragene Verachtung des Neuen. Damit fährt man dem Trend voll in die Parade und ist auch wieder ein Typ.

Gen Z:
Das ist ein Klischee!
Auch wenn wir sicher viel FOMO (Fear Of Missing Out) haben, so sind wir doch selbstbestimmte Individuen.

Neben oder auch wegen ihrer technischen Affinität handelt es sich bei der Gen Z »um die am besten ausgebildete und weiblichste Generation, die wir je am Arbeitsmarkt hatten«. Das behauptet Tristan Horx vom Frankfurter Zukunftsinstitut. Ein Indiz für diese Aussage liefert die *Shell Jugendstudie 2019*. Sie lobt »erhöhte Quoten von Jugendlichen, die die Schulen mit Abitur oder Fachhochschulreife verlassen und die ein Studium aufnehmen« und liefert den Beweis mit Zahlen: 2002 besuchte noch fast die Hälfte aller Schüler:innen eine Haupt- oder Realschule. Heute ist es nur ein Viertel. Das Gymnasium erreichen dagegen 47 Prozent – ein Plus von 6 Prozentpunkten gegenüber 2002. Besonders starken Zulauf verzeichneten in dieser Zeit integrierte Schulformen, die ihren Anteil auf 26 Prozent glatt verdoppeln konnten.

Unverändert beklagenswert hingegen ist bei der Gen Z die Korrelation von sozialer Herkunft und Bildung. Während unter Jugendlichen aus der unteren Schicht nur 13 Prozent den Sprung auf das Gymnasium schaffen, gelingt dies ihren Altersgenoss:innen aus der oberen Schicht mit 71 Prozent viel öfter. Dass es sich bei der Gen Z um die »weiblichste« Generation handelt, zeigt der überproportionale Anteil von Mädchen auf den höheren Schulen. Während mehr als jedes zweite Mädchen (53 Prozent) auf ein Gymnasium geht, schaffen dies bei den Jungen nur gut zwei von fünfen (42 Prozent).

Wie kommt die Gen Z bei der Wirtschaft an?

Als potenzielle Kund:innen sind die 12- bis 27-Jährigen für Unternehmen besonders interessant, weil sie dank ihrer Jugend den größten »Lifetime Value« versprechen. Das heißt: Wer sie heute als Kund:innen gewinnt, kann eine langjährige Beziehung zu ihnen aufbauen und davon profitieren. In der Theorie jedenfalls. Dagegen spricht die Praxis, denn über die klassischen Werbeformate ist die Gen Z kaum zu erreichen. Über trendige Werbeformen und Social Media durchaus, da lassen sie sich sogar viel leichter als die Vorgängergenerationen für neue Produkte und Dienstleistungen entzünden. Doch wenn erst jeder den gerade noch »heißen Scheiß« hat oder nutzt, sind sie schon wieder gelangweilt. Die Unternehmensberatung PwC kommt im dritten Teil ihrer Konsumentenstudie *Gen Z is Talking. Are you Listening?*, für die sie 2020 unter anderem 2 000 Vertreter:innen der jungen Generation befragte, zu folgendem Ergebnis: »Immer online, ungeduldig und fordernd, gesundheits- und umweltbewusst – mit diesen Eigenschaften lässt sich die Generation Z umschreiben.«

Man lehnt sich wohl nicht zu weit aus dem Fenster, wenn man sagt, dass da eine ziemlich anspruchsvolle Kundschaft heranwächst. Mit den gängigen Methoden des Marketings lassen sich kaum neue materielle Bedürfnisse erzeugen, weil sie entweder alles hat oder nicht alles haben will. Deshalb funktioniert Influencer-Marketing so gut. Während sich kaum 3 Prozent der Babyboomer und nur knapp 16 Prozent der Millennials von Influencer:innen bei ihren Kaufentscheidungen beeinflussen lassen, sind es bei der Gen Z laut ZEAM und Link mehr als 40 Prozent. Vorbilder üben großen Einfluss aus, auf Kaufentscheidungen wie auf die bewusste Kaufverweigerung. Wie heißt es im *Manifest der Generation Global* des Zukunftsinstituts: »Postmaterialismus: Erlebnisse, Erfüllung und Erfahrungen sind uns wichtiger als materieller Besitz und Reichtum. Reisen, Genießen, intellektueller Austausch und spirituelle Entfaltung sind in unserer Welt mächtigere Statussymbole als teure Autos oder Uhren.«

Wer nun aber zu wissen glaubt, bei der Gen Z zählten innere Werte mehr als äußere, muss sich wiederum belehren lassen. Eine gewisse materielle Basis, etwa auf dem Niveau ihrer Netzwerkfreund:innen, ist ihnen als Hygienefaktor durchaus wichtig.

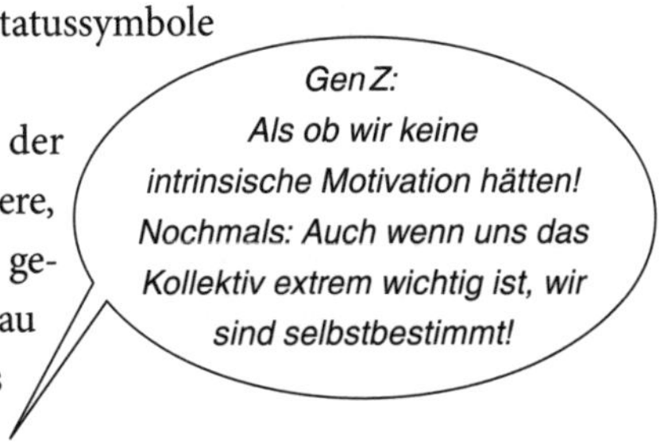

Darauf wollen sie keineswegs verzichten. Deshalb, aber eben auch nur deshalb, gehen sie nach ihrem Studium oder ihrer Ausbildung arbeiten. Und genau diese Haltung spiegelt sich in ihrem Verhalten als Mitarbeiter:innen. Das schauen wir uns jetzt genauer an.

Was die Gen Z von ihren Arbeitgeber:innen erwartet

Die ältere Hälfte der Gen Z steigt gerade ins Berufsleben ein oder hat bereits erste Erfahrungen darin gesammelt. Bis zum Ende dieser Dekade werden die heute 12- bis 27-Jährigen zusammen mit den Millennials die Mehrheit am Arbeitsmarkt ausmachen. Denn die Boomer gehen in

Rente. Das bedeutet: Die Jugend kennt ihren Wert und fordert dafür den Preis. Zudem werden ihre Wertvorstellungen die Arbeitswelt bald immer stärker prägen. Deshalb sind Unternehmen gut beraten, sich zu fragen, was diese Generation vom Berufsleben und ihrem Platz darin erwartet.

Die verblüffende Antwort lautet: alles – und gleichzeitig alarmierend wenig. Darauf deutet das Ergebnis einer Umfrage des Netzwerks Startup Teens aus Hamm hin. Im April 2022 befragte die digitale Bildungsplattform für Unternehmertum und Coding mehr als 4 000 16- bis 19-Jährige zu Schulbildung, Berufswünschen und persönlichen Job Skills. Eine Frage zielte auf den Traumberuf der Gen Z. Die Antwort ist erschreckend. Anders als früher haben fast 70 Prozent der Jungen gar keinen Traumberuf.

Auch auf die Frage: »Kannst du dir vorstellen, später einmal die Geschäftsführung eines bestehenden Unternehmens zu übernehmen?« hat nur einer von fünf Jugendlichen mit »Ja« geantwortet. Startup Teens versteht das als deutliches Signal, das unternehmerische Denken in den jungen Generationen zu fördern. »2018 gab es mehr als 3,2 Millionen Unternehmen in Deutschland. Wer wird diese Unternehmen später einmal übernehmen und erfolgreich weiterführen?« Nicht ohne Grund plädiert der Verein für die Einführung eines Pflichtschulfachs »Entrepreneurship« in den Schulen.

Potenzial für Unternehmertum gibt es auf jeden Fall. Denn fast zwei Drittel der befragten Jugendlichen (62,8 Prozent) können sich vorstellen, eines Tages im Job Führungsverantwortung zu übernehmen. Und jede:r Zweite findet es alles andere als abwegig, später einmal ein eigenes Unternehmen zu gründen. Dass sie dafür etwas wissen und können müssen, ist ihnen völlig klar. Wie gut, dass drei Viertel der befragten Gen Zler:innen (74,4 Prozent) angeben, ihre Fähigkeiten erweitern zu wollen, um eigene Ideen umzusetzen.

Die bereits erwähnte *Gen-Z-Studie* von ZEAM und Link hat herausgefunden, dass die Heranwachsenden neben dem Arbeitsklima, inhaltlich interessanten Aufgaben und Jobsicherheit vor allem auf die Sinnhaftigkeit der Arbeit achten. Dafür stehen die Begriffe »Motivation«, »Freude«, »Interesse«, »Verantwortung« und »Nachhaltigkeit«. Damit zielt die Sinnhaftigkeit im Job nicht auf etwas grundlegend Anderes als für andere Generationen – es geht auch bei der Gen Z klar um einen motivationalen, intrinsischen Aspekt.

Apropos Motivation: Laut der *Universum-Talentstudie 2019* will jede:r zweite Studierende aus dem Wirtschaftsbereich eine Führungsposition, fast ebenso viele streben nach internationalen Dienstreisen und Tätigkeiten. Also sind die Gen Zler:innen doch ganz ähnlich gestrickt wie die Gen X oder gar die Boomer? Nein, behauptet die *Future of Work-Studie* von Zenjob, ganz und gar nicht. Was die Gen Z wirklich wolle, seien Selbstbestimmung, Anerkennung, Lust auf sinnhaftes Tun und ganz viel Kontakt mit anderen Menschen. Zitat: »Das Ranking für die Präferenzen des Arbeitsplatzes liest sich mehr wie ein Dating-Profil als eine klassische Stellenausschreibung.« Man rätselt: Was wollen sie denn nun – Karriere, Kuscheln oder das Klima retten?

Die Antwort: Von allem etwas. Als Gegenleistung für entgangene Freizeit will die Gen Z nicht nur ausreichend Geld haben, sondern auch eine Arbeit tun, die etwas Gutes bewirkt, sei es für Menschen, Tiere oder die Natur, oder die umgekehrt zum Abbau von Missständen wie Hunger und Kinderarbeit beiträgt. Das ist für die Jungen ein wichtiges Entscheidungskriterium für die Unterschrift unter dem Arbeitsvertrag. Und bevor sie hier Abstriche machen, unterschreiben sie nirgendwo. Das ist für sie eine Sache des Prinzips.

Alle Jahre wieder lässt das Bundesumweltamt mit einer repräsentativen Studie die Neigung der jungen Deutschen zum Umwelt- und Klimaschutz ermitteln. 2018 hielten 64 Prozent der Teilnehmer:innen das Thema im Allgemeinen für »sehr bedeutend«. 2019 war dieser Anteil auf 68 Prozent gestiegen. Nun gut, es gibt auch anderes. Aber 2021 waren immer noch 65 Prozent – also zwei von drei Menschen! – fest davon überzeugt, der Umwelt- und Klimaschutz sei eine »wichtige Herausforderung«.

Dieser Trend macht vor der Arbeitswelt nicht halt. Ende 2020 hatte die Arbeitgeber:innen-Bewertungsplattform Kununu zu einem Ranking der umweltfreundlichsten Unternehmen aufgefordert und eine Rekordmenge an Vorschlägen erhalten. Im selben Jahr machten die Ergebnisse einer Umfrage der Königsteiner Gruppe deutlich, was die HR-Fachzeitschrift *Personalwirtschaft* den »Klima-Faktor für Arbeitgeber« nennt: Kandidat:innen machen ihre Entscheidung für oder gegen einen

Arbeitgeber von dessen umweltbewusster Haltung abhängig. Und die gleichen sie dann ab mit ihrem eigenen Werteverständnis. Klafft eine Lücke, dann war's das. Passt aber beides zusammen – bingo!

Die Gen Z will zu den »Guten« gehören

Bewerber:innen machen keinen Hehl aus ihrer Vorliebe für menschen- und umweltfreundlich aufgestellte Unternehmen. Noch vor der Gehalts- stellen sie die Menschenrechts- und die Nachhaltigkeitsfrage und erwarten überzeugende Antworten. Die Gen Z will stolz darauf sein, zu den »Guten« zu gehören. Aber wichtiger noch: Sie wollen nicht dumm dastehen, wenn »ihr« Unternehmen mit einer sozialen oder ökologischen Sauerei aufgefallen ist. Denn dann müssen sie womöglich befürchten, auch von ihren Netzwerkfreund:innen schief angeschaut zu werden. Spätestens dann werden sie im Betrieb kritische Fragen stellen und gehen, wenn die nicht beantwortet werden. Darauf müssen Personaler:innen und Fachvorgesetzte gefasst sein.

Die Online-Plattformen Zenjob für die Vermittlung von Student:innen- und Nebenjobs hat für die Studie *Future of Work* im Mai 2021 rund 1 200 junge Menschen der Gen Z und 500 Millennials in Deutschland befragt. Das Ergebnis passt ins Bild. Denn den Antworten zufolge achten die Heranwachsenden vor allem auf den »Purpose« und die »inneren Werte« eines Unternehmens. Damit gemeint sind Nachhaltigkeit und soziales Engagement, siehe oben, sowie Offenheit für neue Ideen und Konzepte, die die jungen Beschäftigten bei ihrem Arbeitgeber einbringen wollen. Im Mittelfeld rangieren Ansprüche wie Diversität, flache Hierarchien und Firmenfeiern. Natürlich spielen auch weiterhin das Gehalt und die Anerkennung eine große Rolle. Doch selbst wenn alles zusammen im Angebot ist, ist es für die Zugehörigen zur Gen Z kaum mehr als der Ausgleich für den Verzicht auf Freizeit. Der Grundsatz gilt: Nach 17 Uhr sind sie für die Firma offline.

Widerspruch sehen wir bei der Frage nach der Work-Life-Balance. Für die ZEAM-und-Link-Studie gab die Hälfte der Befragten an, dass sie sich feste Arbeitszeiten wünscht. Die andere Hälfte äußerte dagegen das Bedürfnis nach Flexibilität im Arbeitsalltag. Ähnlich sieht es mit der Trennung von Beruflichem und Privatem aus: Während 78 Prozent nach einer klaren Abgrenzung streben, ist es gleichzeitig für 70 Prozent der Gen Z kein Problem, auch im Urlaub erreichbar zu sein. Wichtig ist den Jungen vor allem Handlungsfreiheit. 83 Prozent wollen sich ihre Zeit selbst einteilen dürfen, um nach dem eigenen Rhythmus zu arbeiten. Gleichzeitig bereitet ihnen die Eigenorganisation Schwierigkeiten. Jede:r Zweite erklärte, dass das in der Praxis noch nicht immer gelinge.

Flexible Arbeitszeiten und Teilzeitarbeit sind bei allen Generationen am beliebtesten, Desk Sharing und Co-Working-Spaces am unbeliebtesten. Jedoch würde die Gen Z die unbeliebtesten Arbeitsformen deutlich eher nutzen wollen als ihre älteren Kolleg:innen. Ein klarer Unterschied (ausgenommen Gen Y) zeigt sich beim Crowdworking, das die Gen Z ebenfalls deutlich lieber nutzen würde. Insgesamt ist die Gen Z also aufgeschlossener gegenüber neuen Arbeitsformen.

Was die Befragung von Zenjob darüber hinaus ergeben hat: Der Großteil der Generation Z legt Wert auf eine Unternehmenskultur, in der ehrlich und offen kommuniziert wird. In Verbindung mit dem starken Wunsch nach Anerkennung dürfte das so manchen Vorgesetzten vor eine beträchtliche Herausforderung stellen.

Klar ist: Die Karriere ist zwar ein wichtiger Teil des Lebens der Gen Z – aber nicht ihr oberstes Arbeitsziel. Wichtiger ist ihnen, alle Aspekte ihres Lebens aktiv mitgestalten zu können – auch die bei der Arbeit. Ganz oben auf der Bedürfnispyramide der Jungen stehen die Vereinbarkeit von Job mit dem Privatleben sowie zeitliche und arbeitsinhaltliche Flexibilität und Abwechslung bei der Arbeit. Auf einen sicheren Arbeitsplatz legt dagegen nur jede:r Zweite Wert. Deshalb bevorzugen die meisten auch einen mittelständischen Arbeitgeber vor dem Konzern. Die Kombination aus Sicherheit und eher familiärer Umgebung scheint für die Gen Z besonders attraktiv zu sein. Nur ein Fünftel der von Zenjob Befragten würde sich für die Arbeit in einem Großunternehmen entscheiden, jeweils etwa ein Viertel für ein Start-up oder die Selbstständigkeit.

»Unsere Studie zeigt deutlich, dass für die Mitarbeiterinnen und Mitarbeiter von morgen Haltung und Werte im Vordergrund stehen«, sagt Frederik Fahning, Managing Director von Zenjob. »Sie möchten, dass ihr Arbeitgeber diese vorlebt und ihnen Raum für das eigene Leben, die persönliche Entwicklung, aber auch die Partizipation an der Weiterentwicklung des Unternehmens ermöglicht.« Die Gen Z, so Fahning, sei alles andere als passiv. Im Gegenteil: »Sie möchte etwas bewirken.«

Worauf müssen Arbeitgeber:innen bei der Gen Z achten?

Die Gen Z sind die Talente von morgen. Und die Hoffnung vieler Branchen, die mit einem akuten Fachkräftemangel kämpfen. Weil die Mitarbeitenden ein wichtiges Asset für Unternehmen sind, sollten die Verantwortlichen wissen, was auf sie zukommt. Die frühe Prägung durch Smartphone und soziale Netzwerke hat in der Gen Z Spuren hinterlassen. Sie sind an Internetgeschwindigkeit und sofortige Reaktionen gewöhnt. Digital Natives eben.

Genau das beschreibt die Erwartungshaltung der Gen Z auf dem Arbeitsmarkt. Für sie sind schnelle Rückmeldungen, beispielsweise nach einem Bewerbungsgespräch, ein Muss. Selbstverständlich bewerben sie sich digital und werden eher nicht durch Zeitungsanzeigen gefunden. Zudem geht die Gen Z anders mit Hierarchien um. Dem Chef und der Chefin wird zwar immer noch Respekt entgegengebracht, allerdings eingekleidet in Burschikosität, um nicht als Unterordnung daherzukommen. Zwar geben Strukturen den gerade auf den Arbeitsmarkt strömenden Zoomern immer noch Halt. Doch sie sind eher als ihre Vorgänger:innen bereit, Strukturen und Hierarchien infrage zu stellen und sie zu durchbrechen. Zum Beispiel, um eigene Ideen einbringen und Innovationen ausprobieren zu können. Aus vollem Halse rufen sie den Älteren zu: »Nehmt mich wahr! Nehmt mich ernst! Hört auf mich!« Eigentlich müssen sie nur zuhören.

Selbst wenn es den Älteren in den Fingern juckt, weil sie »natürlich« alles schneller machen und besser wissen: Sie sollten die Jungen einfach mal machen lassen. Laut der breit angelegten *Gen-Z-Studie* von Startup Teens wissen 93 Prozent der Teenager:innen nicht, was ein Intrapreneur und eine Intrapreneurin ist, nämlich Arbeitnehmer:innen, die ihre Arbeit mit derselben Einstellung wie Unternehmer:innen (Entrepreneur:innen) erledigen, obwohl sie in eine Organisation eingebunden sind. Ist es möglich, dass die Schulen den durchaus vorhandenen

Unternehmergeist der Gen Z verkümmern lassen? Kann es sein, dass die Ausbildung und Praktika anbietenden Unternehmen den Jungen zu wenig freie Hand lassen? Ist der Gedanke allzu kühn, dass die Älteren so sehr in die Herausforderungen der Gegenwart eingebunden sind, dass sie dabei völlig die Lösungskompetenz übersehen, die von jüngerer Seite (und sehr bereitwillig!) angeboten wird? Und das einfach nur deshalb, weil sie die Gen Z zu wenig kennen und weil sie ganz anderes vom (Arbeits-)Leben erwarten als die Vorgängergenerationen?

Gen Z entschlüsselt

In diesem Buch sind 28 Beiträge von Autor:innen im Alter von 15 bis 78 Jahren versammelt. Sie beleuchten die Gen Z aus dem Blickwinkel verschiedener Generationen und zeigen auf, wie Gen-Z-Marketing und die Zusammenarbeit mit dieser anspruchsvollen Altersgruppe erfolgreich funktionieren kann. Dabei werden persönliche Erfahrungen und Erkenntnisse ebenso geschildert wie konkrete Handlungsempfehlungen zu folgenden Kernfragen geliefert:

1. Wie gewinne ich die Gen Z als Talente für mein Unternehmen? (Recruiting)
2. Welche Fähigkeiten zeichnen die Gen Z aus, und wie setze ich diese bestmöglich ein? (Führung)
3. Wie erreiche ich die Gen Z als Zielgruppe? (Marketing)
4. Wie sieht ein Umfeld aus, in dem die Gen Z ihr Potenzial unternehmerisch voll entfalten kann? (Entrepreneurship und Intrapreneurship)

Die Herausgeber:innen Annahita Esmailzadeh (Managerin bei Microsoft), Yaël Meier und Jo Dietrich (Co-Founder der Gen-Z-Agentur ZEAM), Professor Dr. Stephanie Birkner (Zukunft.unternehmen), Julius de Gruyter (Gründer der Beratungsplattform Krisenchat) und Hauke Schwiezer (Gründer der NGO Startup Teens) bringen mit weiteren renommierten Autor:innen auf den Punkt, was es braucht, damit für und mit der Gen Z die Geschäftswelt der Gegenwart und Zukunft gestaltet werden kann. Gemeinsam eröffnen sie mit ihren erfahrungsbasierten Beiträgen wertvolle

Impulse für Entscheidungsträger:innen. Ziel ist zu verstehen, wie es gelingen kann, sich im Schulterschluss mit der Gen Z den gesellschaftlichen Herausforderungen unserer Zeit zu stellen.

Alle Autor:innen werden von ihren persönlichen Avataren verkörpert – eine Erscheinung, die in Zukunft alltäglich sein wird. Denn mit dem Aufkommen des Metaverse – einer virtuellen Welt, in der die Menschen direkt miteinander kommunizieren und interagieren können – werden Menschen nicht nur eine, sondern mehrere Identitäten haben. Wie sie die Gen Z heute schon zu haben scheint, wie die Widersprüchlichkeit bei ihren Haltungen und Erwartungen zeigt.

Die Einnahmen der Herausgeber:innen und Autor:innen kommen zu 100 Prozent der Non-Profit-Organisation Startup Teens – der reichweitenstärksten digitalen Bildungsplattform für Unternehmertum und Coding in Deutschland – zugute.

TEIL 2

Gen Z Stories

Einblicke von und über die digitale Generation

Frage 1

Wie gewinne ich die Gen Z als Talente für mein Unternehmen?

(Recruiting)

MONA GHAZI

Mona Ghazi ist Mitgründerin und CEO von Optimo. Ihre Leidenschaft gilt dem Unternehmertum und der Bildung. Deshalb hat sie die Plattform für Produktionsmitarbeiter:innen ins Leben gerufen, um sie für die Industrie 4.0 weiterzubilden und den Wissenstransfer zwischen Mitarbeitenden zu vereinfachen. Ihre Vision ist es, gewerblich Beschäftigte zu befähigen, ihr Potenzial durch Vernetzung und lebenslanges Lernen voll auszuschöpfen.

Nach welchen Kriterien die Gen Z einen Job beurteilt

Wie können traditionelle Produktionsunternehmen Talente der Generation Z anziehen?

Ich möchte über meine Freund:innen schreiben, die kurz davorstehen, ihr Studium abzuschließen. Sie alle befinden sich im letzten Studiensemester und müssen nun entscheiden, welchen Karriereweg sie einschlagen und welchen Job sie wählen wollen. Ich möchte darüber berichten, was sie bei ihren Entscheidungen antreibt (oder eben nicht antreibt) und worauf sie achten, wenn sie sich für einen Job interessieren.

Auf der anderen Seite arbeite ich mit mittelständischen Produktionsunternehmen zusammen, die unter einem enormen Fachkräftemangel leiden. Mein Unternehmen Optimo unterstützt die Arbeitskräfte dieser Unternehmen dabei, sich weiterzubilden. Deshalb möchte ich auch darüber reflektieren, wie diese vorwiegend mittelständischen und eher konservativen Unternehmen Mitarbeitende der Gen Z für sich gewinnen können. Einige Optimo-Kund:innen sind sehr erfolgreich bei der Anwerbung der jüngeren Generation, und ich möchte aufzeigen, warum das so ist.

Der Weg zur Berufswahl aus der Sicht von Studierenden

April 2022 in Berlin und Nordrhein-Westfalen. Meine Freund:innen, alle zwischen 21 und 25 Jahre und Studierende, stehen vor der bisher größten Herausforderung ihres Lebens: dem Einstieg in die Arbeitswelt. Exemplarisch für sie ist Kai.

Kai studiert Marketing und bewirbt sich auf Einsteigerjobs. Er ist vor allem auf der Suche nach einem Arbeitsplatz, der ihn glücklich macht und erfüllt. Anders als Absolvent:innen früherer Generationen geht es ihm dabei weniger um ein hohes Einstiegsgehalt oder einen schnellen Aufstieg auf der Karriereleiter. Wie viele Menschen in unserem Alter strebt er einen Arbeitsplatz an, der es ihm ermöglicht, durch die eigene Arbeitsleistung aktiv einen Mehrwert für die Gesellschaft und die Umwelt zu schaffen. Dies wird neusprachlich auch gerne mit dem Ausdruck »einen Impact haben« umschrieben.

Kai hat sich auf drei Jobs in drei völlig unterschiedlichen Branchen beworben: bei einem Virtual-Reality-Unternehmen, einem Food-Tech-Start-up und einem Technologieunternehmen, das in der Solarenergie tätig ist. Der gemeinsame Nenner ist hier der positive Impact auf die Gesellschaft und auf natürliche Ressourcen, nicht eine bestimmte Branche.

Die anderen Akteur:innen in dieser Fallstudie sind Optimo-Kund:innen, nämlich mittelständische Fertigungsunternehmen, die hauptsächlich im eher ländlich geprägten Süd- und Ostwestfalen ansässig sind. Wie gewinnen sie jemanden wie Kai für sich?

Drei To-dos zur Gewinnung von Talenten

Aus meiner Erfahrung, wie meine Freund:innen Bewerbungen durchgehen und Entscheidungen über ihre Karriere treffen, kann ich folgende Erkenntnisse ableiten, die vor allem Unternehmen im verarbeitenden Gewerbe, das besonders unter Arbeitskräftemangel leidet, beherzigen können, um für Arbeitssuchende der Gen Z attraktiv zu sein:

Biete Lernmöglichkeiten an Einer der Faktoren, der für die Gen Z wirklich wichtig ist, ist die Möglichkeit, sich kontinuierlich persönlich und beruflich weiterzuentwickeln. Das beginnt schon damit, dass sie in Vorgesetzten oder der Unternehmensleitung ein Vorbild sehen, mit dem sie sich identifizieren und von dem sie lernen kann.

Eine:r der Kund:innen von Optimo, die Marantec Group, macht das sehr gut. Die Geschäftsführerin von Marantec engagiert sich ehrenamtlich, ist in den sozialen Medien aktiv und setzt sich offen dafür ein, Arbeitsplätze zu verändern und agiler zu machen. Sie zeigt ihren Mitarbeiter:innen, dass sie Innovation fördert, indem sie zum Beispiel mit

Start-ups arbeitet. Gleichzeitig kommuniziert sie die Unternehmensvision glaubhaft nach außen. Sie nutzt soziale Medien wie LinkedIn, um auf die Unternehmenswerte aufmerksam zu machen.

Habe einen positiven Impact Um die Gen Z anzusprechen, muss dein Unternehmen »cool« sein. Das bedeutet, dass es positive Werte nicht nur im Werbeslogan vermittelt, sondern aktiv an der Umsetzung arbeitet. Nachhaltigkeit darf sich nicht in der unbeirrten Kontinuität von Althergebrachtem äußern. Stattdessen sollten aktiv Ziele definiert und durch geeignete Maßnahmen umgesetzt werden, wie zum Beispiel innerhalb eines Jahres X Prozent weniger Abfall zu produzieren und die Umweltbelastung zu minimieren oder sich vorbildlich in sozialem Engagement zu zeigen. Die UN-Nachhaltigkeitsziele bieten eine tolle Richtlinie hierfür.

Ein gutes Branding des Unternehmens Die Gen Z ist mit den sozialen Medien aufgewachsen und präsentiert sich selbst dort. Bei der Wahl des/der Arbeitgebers/Arbeitgeberin achten meine Freund:innen auch auf einen Mehrwert, mit dem sie sich identifizieren und den sie auf LinkedIn teilen können. Der Job ist ein Lifestyle, und sie möchten auf die Frage »Was machst du beruflich?« gerne antworten, dass ihr Unternehmen die Welt verbessert und sie ihren Teil dazu beitragen.

Den Beruf zum Lebensstil machen

Der Schlüssel ist, dass die Gen Z die Wahl hat, wenn es um Jobs geht. Sie sind nicht verzweifelt auf der Suche nach irgendeiner Gelegenheit, um möglichst schnell möglichst viel Geld zu verdienen, einen ganz bestimmten Karriereweg einzuschlagen, zügig in den Rängen aufzusteigen und sich mit Statussymbolen zu umgeben. Der Firmenwagen wird als reines Arbeitsmittel wahrgenommen, der tägliche Weg zur Arbeit vorzugsweise zu Fuß oder mit dem Rad zurückgelegt. Die Arbeitssuchenden der Generation Z sind individuell, vielseitig interessiert und wollen eine Lebensentscheidung treffen, nicht nur einen Job finden. Sie wollen einen Impact haben und idealerweise ihr Hobby zum Beruf machen.

Unternehmen können nicht mehr einfach warten, bis Bewerbungen eintrudeln. Sie müssen daran arbeiten, sich für die Bewerber:innen attraktiv zu machen, um deren Bedürfnissen und Werten zu entsprechen. Heutzutage müssen sich viele Arbeitgeber:innen bei den Arbeitskräften bewerben, nicht umgekehrt. Dies gilt umso mehr, je höher und stärker nachgefragt die jeweilige Qualifikation ist.

Die heutige Situation bedeutet nicht, dass für traditionelle Branchen und Produktionsunternehmen alles verloren ist. Es gibt einen großen Bedarf an Talenten, aber auch viele neue Hochschulabsolvent:innen, die jedes Jahr auf den Arbeitsmarkt kommen und ihren Traumjob suchen. Beide Seiten profitieren, wenn die Unternehmen bereit sind, sich der Gen Z von ihrer besten Seite zu zeigen.

NARI KAHLE

Dr. Nari Kahle ist Head of Strategic Programs bei CARIAD SE, dem Software- und Technologieunternehmen im Volkswagen Konzern, und Autorin des Buchs *Mobilität in Bewegung*. Zuvor arbeitete sie unter anderem als Leiterin für soziale Nachhaltigkeit im Volkswagen Konzern, wozu auch der Aufbau und die Leitung eines konzernweiten Programms für junge Menschen zu digitalen sozialen Innovationen gehörte.

Jung, digital, sozial – was bewegt die Gen Z?

Wie ein Konzern den Kontakt zur jungen Generation suchte

In den vergangenen Jahren durfte ich im Rahmen eines Programms intensiv mit der Generation Z zusammenarbeiten. Doch hatte ich mir das im Vorfeld deutlich einfacher vorgestellt. Mit vielen Herausforderungen und so einigen Fallstricken hatte ich nicht gerechnet. Doch dazu später mehr.

Das Ziel war der Aufbau einer jungen Community von Schüler:innen zu digitalen und sozialen Zukunftsfragen. Dieses Programm war Teil des gesellschaftlichen Engagements des Volkswagen Konzerns, um junge Menschen zu neuen Ideen rund um soziale Innovationen zu bewegen und dafür die passenden Methoden, Tools, Konzepte und Inhalte zielgruppengerecht bereitzustellen. Es ging explizit nicht um Recruiting-Maßnahmen, dafür war die Zielgruppe zu jung. Vielmehr wollten wir die nächste Generation kennen lernen, verstehen und in den gemeinsamen Dialog treten: Wie tickt die Generation Greta?

Wir haben ein passendes eigenes Branding für das Programm erarbeitet, die Schüler:innen in den sozialen Netzwerken und an ihren Schulen getroffen und über verschiedene Aktionen und Events jede Gelegenheit genutzt, um mehr von ihnen zu erfahren.

Das Herzstück des Projekts war ein regelmäßiger Wettbewerb, stets ausgerichtet an den 17 Nachhaltigkeitszielen der Agenda 2030 der Vereinten Nationen. Damit sind wir auf die Suche danach gegangen, was die jungen Menschen begeistert und wofür sie sich in ihrer freien Zeit engagieren möchten. Wir haben dafür geworben, ihre Ideen zu teilen, und gemeinsam mit Influencer:innen auf unsere Challenges aufmerksam gemacht. Wir haben die Hintergründe der 17 Nachhaltigkeitsziele erklärt und spannende Preise in Aussicht gestellt. Fast 600 junge Menschen haben sich allein zur ersten Challenge in kleinen Teams angemeldet und ihre Ideen eingereicht. Die 15 besten Teams aus ganz Deutschland luden wir zum großen Finale nach Wolfsburg ein: zur Pitch-Nacht, in der die Teams ihre Ideen vor einer Jury und vor Publikum vorstellen würden.

Die Nacht der Ideen

Es ist dunkel. Etwa 200 Gäste sitzen im Wissenschaftstheater und warten darauf, dass es losgeht. Die Stuhlreihen gehen von unten steil nach oben, damit alle einen guten Blick auf die Bühne haben. Doch das bekämpft nicht gerade die Nervosität der Teams.

Der Moderator begrüßt alle Gäste, die Jury und natürlich ganz besonders die Teams, die es in das Finale geschafft haben. Und diese präsentieren ihre selbst ausgearbeiteten Ideen: rund um ein verbessertes Zusammenleben, Reduzierung von Armut und gemeinsamen Aktionen, um unsere Umwelt zu schützen.

Die jeweiligen Pitches, also die Kurzpräsentationen der Ideen, sind beeindruckend. Einige sprechen so eloquent mit professionell erarbeiteten Folien, dass man schnell vergisst, dass wir es gerade mit Schüler:innen zu tun haben und nicht schon mit Gründer:innen, die seit vielen Jahren nichts anderes tun, als ihre Ideen vorzustellen. Andere wirken zwar in ihrem Auftreten deutlich jünger, aber begeistern mit ihrem Charme und Leuchten in den Augen.

Für die Jury ist es nicht ganz einfach, die Bewertung der unterschiedlichen Teams vorzunehmen, schließlich gibt es ja gute Gründe, warum die Teams es bereits ins Finale geschafft haben.

Doch der Weg dahin war nicht einfach …

Wenn das jetzt allerdings so klingt, als ob ein Aufruf für Ideen ausreicht, damit junge Menschen zahlreich teilnehmen, muss ich dies ein wenig ins rechte Licht rücken. Denn bis auf wenige Ausnahmen war es gar nicht so einfach, die jungen Menschen zu einer Teilnahme zu bewegen. Wir haben daher schnell festgestellt, dass es unterschiedliche Wege braucht, um mit möglichst vielen jungen Menschen ins Gespräch zu kommen und einige von ihnen für eine Teilnahme am Wettbewerb zu begeistern.

Es gibt die Überflieger:innen, also alle diejenigen, die auf solche Chancen und Gelegenheiten warten, um sich und ihre Ideen zu präsentieren. Die Ideen waren oftmals bemerkenswert. Teilweise waren es vollständig durchdachte Geschäftsmodelle, die einen sozialen Zweck verfolgten. Die dazugehörige Präsentation war hochprofessionell, was sich an der Auswahl der Bilder, teilweise auch durchaus eigens angefertigten Videos, Animationen und den dazugehörigen Texten wie auch dem ansprechenden Design der Unterlagen schnell erkennen ließ.

Doch bei vielen Schüler:innen, mit denen wir Kontakt hatten, gab es anfangs erst einmal eine Hürde. Nicht alle haben Themen, für die sie brennen. Nicht alle engagieren sich bereits von sich aus für eine bessere Umwelt oder eine bessere Gesellschaft. Viele sind einfach ganz normale Teenager, die froh sind, wenn die Schule nachmittags vorbei ist. Die nach den Hausaufgaben ihren eigenen Interessen nachgehen wollen – oder auch einfach »chillaxen« wollen (Mischung aus »chillen« und »relaxen«). Und die uns fragen, warum sie sich die Mühe machen sollten, um an einem solchen Wettbewerb teilzunehmen, der viel Zeit und Aufwand erfordert.

Es gibt vermutlich nicht den einen Weg, der als Patentrezept funktioniert, um junge Menschen zu Aktivitäten zu bewegen, die erst einmal zusätzlichen Aufwand bedeuten. Einige zeigten nach einem persönlichen Gespräch, dass es durchaus Themen gibt, die ihnen wichtig sind – auch wenn es ihnen vielleicht selbst nicht so bewusst war: Aus einem Interesse für Tiere und insbesondere vernachlässigte Katzen und Hunde entwickelte sich so eine vorsichtige Leidenschaft für Tierschutz von heimatlosen Tieren. Aus der regelmäßigen Hilfe für die Großeltern und Nachbar:innen beim Einkaufen entwickelte sich eine Idee für ein nachbarschaftliches Engagement, das über Punktevergaben Anreize erwirken kann.

Bei anderen waren es eher andere Faktoren, die für eine Teilnahme am Wettbewerb sprachen: die Sachpreise (wenn sie interessant genug waren). Die Jury (wenn eine Prominenz oder ein:e Influencer:in mit dabei war). Die Aussicht, als Gewinnerteam mit professioneller Hilfe weiter an der eigenen Idee zu arbeiten. Oder auch schlicht und ergreifend die Aussicht auf ein Zertifikat des Konzerns, was bei möglichen Bewerbungen um ein späteres Praktikum durchaus positiv gesehen wurde. Nicht zuletzt war es auch manchmal die jeweilige Lehrkraft, die mit ihrem großen Engagement dazu beitrug, dass die Klasse sich in Kleingruppen den Aufgaben widmete.

Auf all die unterschiedlichen Gründe zur Teilnahme muss eingegangen werden, damit sie von der Gen Z auch einen Anreiz darstellen. Das geht kaum, wenn Ältere allein die Auswahl an Themen, Sachpreisen, Jury oder Influencer:innen treffen. Es braucht die Gespräche und Einblicke der jungen Menschen, um die richtige Auswahl zu treffen. Ein stetiges Hinterfragen der Entscheidungen und Auswahl. Und die Bereitschaft, immer wieder zu akzeptieren, dass das, von dem man denkt, es sei gut und richtig, durchaus nicht zu dem passt, was die junge Generation für gut befindet. Das Feedback ist manchmal durchaus kritisch, aber immer ehrlich. Und das hilft dabei, um zumindest die Chance zu erhalten, die Gen Z zu begeistern.

Was lässt sich aus den Erfahrungen mitnehmen?

Den Wettbewerb haben wir nach Prinzipien des Design Thinking entwickelt. Angefangen haben wir mit Personas (also typischen Vertreter:innen der Gen Z). Über viele Iterationen und den direkten Austausch wurde das Konzept unseres Programms stetig verbessert.

Als Organisationsteam haben wir versucht, so viele Aspekte des Programms wie möglich mit der Gen Z gemeinsam zu entwickeln und zu diskutieren. Dies fing beim Namen des Programms an, ging über das Logo, über die Farben, über die Themen bis hin zu den Preisen. Doch manchmal passierte es auch uns, dass Entscheidungen getroffen werden mussten, die mangels Zeit nicht noch einmal mit der jungen Generation in Ruhe iteriert werden konnten. Das führte dazu, dass wir als einen der Sachpreise 3D-Drucker bereitstellten, über die die Freude nicht so groß war wie erwartet. Auch bei der Zusammenstellung der Jury hätten wir noch stärker darauf achten müssen, dass zumindest einige Prominente der Gen Z vertreten sind – so unbekannt sie uns als Ältere auch sein mögen.

Auch die Zusammenarbeit mit Influencer:innen war für uns Neuland. Wir wollten anfangs durchaus auf deren Erfahrung vertrauen und so wenig Vorgaben wie möglich als Konzern machen. Als wir aber feststellten, dass dies zu einem Posting mit einer lasziven Pose führte, mussten wir dann aber doch einschreiten und einfordern, die Bilder im Vorfeld freizugeben.

Mein größtes Learning ist aber, dass sehr vieles von dem, was bei dem Wettbewerb und auch weit darüber hinaus sehr gut funktioniert hat, deswegen gelang, weil das gesamte erweiterte Organisationsteam mit Begeisterung an dem Programm gearbeitet hat und sich voll und ganz auf die Zielgruppe eingelassen hat. Dass sie bereit waren, sich und ihre bestehende Meinung immer wieder zu hinterfragen. Dass sie immer wieder Lust hatten, von der Gen Z zu lernen und mit viel Engagement und Herzblut alles dafür zu tun, dass das Programm für die Schüler:innen interessant ist.

Es braucht Freude am Kontakt mit der jungen Generation, das Interesse, diese kennen zu lernen, mehr von ihr zu erfahren, um Programme mit und für die junge Generation gemeinsam umzusetzen. Nur dann gelingt es, eine Brücke zwischen den Generationen zu schlagen.

LAURA BORNMANN

Laura Bornmann ist Leiterin der Personalentwicklung bei der REWE Dortmund SE & Co. KG. Hier beschäftigt sie sich intensiv mit den Werten und Anforderungen der Gen Z im Kontext von Arbeit. Sie setzt sich für eine fundamental neue Arbeitswelt ein, die den Menschen in den Mittelpunkt stellt. Das Personalmagazin hat Laura Bornmann im Jahr 2022 als Top HR-Influencerin ausgezeichnet.

Von der Kür zur Pflicht. Warum heute jedes Top-Management die Gen Z verstehen muss

Veränderte Arbeitsansprüche erfordern eine neue Unternehmensausrichtung

»Ich hätte gekündigt, wenn ich auch nach der Pandemie jeden Tag ins Büro hätte kommen müssen«, versicherte mir eine meiner Teamleiterinnen, 25 Jahre alt, vor wenigen Wochen. Diese vor Selbstbewusstsein strotzende Aussage steht sinnbildlich für die Gen Z, die grundlegend neue, für viele Geschäftsführer:innen zu hohe und für manch eine:n regelrecht überzogene Ansprüche an Arbeit hat. Sie will selbst entscheiden können, von wo und wann sie arbeitet. Wer sollte das auch besser beurteilen können als sie selbst? Aber damit nicht genug: Natürlich ist ihr auch Freizeit wichtig. So hat sie sich einen Serientermin ab 15 Uhr für jeden Wochentag mit dem Betreff »Feierabend« eingestellt und lehnt jede Terminanfrage am Nachmittag rigoros ab. Sie hat wohl wenig Karriereambitionen? Das Gegenteil ist der Fall: Es kommt ihr gar nicht in den Sinn, dass ihre Arbeitszeit Einfluss auf ihren weiteren Berufsweg haben sollte. Denn schließlich erbringt sie gute Leistungen – nur eben nicht, wie früher Usus, an zehn oder mehr Stunden am Tag.

Und so gibt es viele weitere Beispiele, die zeigen, dass die Gen Z Arbeit grundlegend neu definiert. Viele Entscheider:innen fragen sich, was das noch mit Arbeit zu tun hat – und das nicht ganz zu Unrecht. Denn mit der Arbeitswelt, in der viele erfolgreich geworden und es bis heute sind, hat das nicht mehr viel zu tun.

Doch nicht nur die Ansprüche der Gen Z verändern sich drastisch, sondern auch der Arbeitsmarkt. In den nächsten Jahren wird ein Großteil der Babyboomer in Rente gehen. Parallel dazu ist es in vielen Unternehmen schon heute herausfordernd, geeigneten Nachwuchs zu finden. Und weil die Arbeitnehmer:innen immer mehr den Takt angeben können, bekämpfen sich Arbeitgeber:innen heute förmlich darum, wer ihre Ansprüche am besten erfüllen kann. Denn gleichzeitig entstehen so viele Chancen wie noch nie: Die Jungen haben Fähigkeiten, die andere Generationen nicht haben und die wir so dringend brauchen. Höchste Zeit also, dass sich auch Top-Manager:innen mit der jungen Generation auseinandersetzen und die Unternehmen grundlegend neu ausrichten.

Die Frage »Was treibt junge Menschen an?« schafft es auf die wichtigste Managementtagung

Aus diesem Grund hat sich unsere Geschäftsleitung im Rahmen ihrer Strategietagung im Juni 2021 mit der Gen Z befasst. Die Geschäftsleitung besteht aus sieben Mitgliedern, wovon niemand der Gen Z oder Y angehört. Deshalb war ihr wichtig, zunächst einmal ganz grundsätzlich zu verstehen, was junge Menschen antreibt, welche Chancen das für die REWE Dortmund haben kann und wie letztendlich die neue Unternehmensstrategie hierauf ausgerichtet werden muss. Da ich mich in meinem Job intensiv mit den Werten junger Menschen befasse, täglich mit ihnen arbeite und selbst mit 30 Jahren zur jungen Generation gehöre, habe ich diesen Part vorbereitet und moderiert. Folgende Thesen waren Grundlage unserer Diskussion:

1. Wir möchten nicht, dass sich Arbeit wie Arbeit anfühlt.
2. Wir wollen Teilzeit arbeiten und (trotzdem) ins Top-Management kommen.
3. Wir können auch vom anderen Ende der Welt einen guten Job machen.
4. Wir wollen nicht mehr hören: »Du hast noch keine Erfahrung.«
5. Wir wollen keine Manager:innen, sondern Menschen, die uns inspirieren und entwickeln.

Vermeintliche Nachteile werden zu Chancen

Die Diskussion war offen und konstruktiv. Es gab viele Aha-Momente, in denen Vorurteile aufgelöst werden konnten. Plötzlich wurden Chancen sichtbar, die zuvor als überhöhte Ansprüche der Gen Z und als Nachteile für das Unternehmen deklariert wurden. So ist für viele Menschen älterer Generationen Arbeit immer noch in erster Linie dazu da, den Lebensunterhalt zu finanzieren. Sie haben gelernt, dass Arbeit oft kein Zuckerschlecken bedeutet. Junge Menschen sehen das anders: Sie wollen Sinn sehen in dem, was sie tun, und ja, sie wollen auch Spaß in ihrem Job haben. Und darüber kann sich jedes Unternehmen glücklich schätzen! Denn die Gen Z denkt groß und konzentriert sich auf die richtigen Aufgaben. Damit leistet sie einen wichtigen Wertbeitrag. Und weil sie Spaß hat, ist sie tendenziell auch engagiert und stärker mit dem Unternehmen verbunden.

Ein weiteres Beispiel ist, dass Menschen älterer Generationen heute häufig noch erwarten, dass die Arbeitszeit mit höherer Hierarchieebene zunimmt. Auch an dieser Stelle haben junge Menschen eine konträre Sichtweise, denn Arbeitszeit hat in ihrer Welt nichts mit Leistung zu tun. In Unternehmen mit dieser Haltung bleiben viele top ausgebildete Menschen unter dem Radar, weil sie aufgrund von reduzierter Arbeitszeit für wichtige Funktionen kategorisch ausgeschlossen werden. Hier bleibt großes Potenzial ungenutzt, und es ist sehr wahrscheinlich, dass sich diese Menschen schon bald einen neuen Job suchen werden.

Was haben wir mit diesen und den weiteren Erkenntnissen bei der REWE Dortmund gemacht? Unter anderem wurde mit der Strategie ein großes Projekt verabschiedet, das die Transformation des Führungsverhaltens zum Ziel hat und den Werten der Gen Z Rechnung trägt. So werden wir beispielsweise neue Leadership Principles gemeinsam mit dem Führungskreis erarbeiten, neue Führungswerkzeuge und -prozesse etablieren und ein Instrument entwickeln, um gute Führung messbar zu machen.

Außerdem sind diverse Maßnahmen zur besseren Vereinbarkeit von Beruf und Privatem abgeleitet worden. Dadurch ist es unter anderem heute möglich, Führung in Teilzeit auszuüben oder, da wo möglich, selbst zu entscheiden, wann und wo gearbeitet wird. Ebenso hat die Geschäftsleitung ein »Challenger Board« im Unternehmen installiert. Hier wird jede Projektidee von den »jungen Wilden« zunächst genauer angeschaut und dann, wenn der Vorschlag für gut befunden wurde, auch umgesetzt.

Das A und O: Unvoreingenommenheit und eine ernsthafte Auseinandersetzung mit der Gen Z

Geschäftsführer:innen älterer Generationen haben im Arbeitskontext häufig Vorurteile gegenüber jungen Generationen. Das liegt meines Erachtens darin begründet, dass sich viele von ihnen nie ernsthaft mit veränderten Werten auseinandergesetzt haben. Auf den ersten Blick sind viele Ansichten so konträr zu den eigenen, dass sie für sie nicht nur nicht nachvollziehbar, sondern ihnen teils auch überzogen erscheinen. Und genau das ist die Krux: Zum einen versperrt diese Haltung die Sicht auf Chancen. Zum anderen ist ein erfolgreicher Kulturwandel, der heute in jedem Unternehmen stattfinden muss, entscheidend abhängig vom Top-Management. Und genau deshalb braucht es hierzu einen Austausch und ein Commitment auf Top-Ebene. Um Letzteres zu erreichen, ist eine unvoreingenommene Haltung gegenüber der Gen Z entscheidend. Es ist außerdem notwendig, die gewonnenen Erkenntnisse in konkrete Maßnahmen zu überführen, denn sonst bleiben es reine Lippenbekenntnisse. Spätestens, wenn man mit Vertreter:innen in den direkten Dialog geht, wird klar, warum zum Beispiel die REWE Dortmund von den veränderten Ansprüchen und Werten meiner Teamleiterin profitiert: Zwar ist sie nicht mehr jeden Tag im Büro und arbeitet auch keine zehn Stunden mehr – dafür arbeitet sie aber selbstverantwortlich, digital und effizient. Sie hat viele neue Ideen, die sie schnell in die Tat umsetzt, und ist intrinsisch motiviert, unser Unternehmen nach vorne zu bringen.

GEORGIA NÄDER

Georgia Näder weiß als Aufsichtsrätin und vierte Generation der Inhaberfamilie des HealthTech-Unternehmens Ottobock aus erster Hand, wie schwer es Fachbereiche haben, Fachkräfte anzuwerben und dann zu halten. Unternehmenskultur, Recruiting und Talentförderung sind strategische Faktoren für sie. Sie ist selbst unternehmerisch mit ihrem eigenen Start-up Maluwa Superfoods tätig, das Nahrungsergänzungsmittel aus der Moringapflanze herstellt.

Erfolgsfaktor Employer Branding

Der erste Eindruck zählt

»Georgia, mal ehrlich: Mein Praktikum war super, aber euer Bewerbungsprozess ging damals gar nicht.« Diesen Satz hörte ich von meinem Sandkastenfreund Laurenz. Er hat an der privaten Fachhochschule Göttingen den Studiengang Orthobionik absolviert und studiert mit mir in Kopenhagen den Master Business Administration and Innovation in Healthcare.

Als Schüler und Student war das von meinem Urgroßvater gegründete Orthopädietechnikunternehmen Ottobock eine der ersten Adressen in puncto Berufsorientierung für ihn. Angefangen bei einem Zukunftstag in der Unternehmenskommunikation bis hin zu Praktika in der Entwicklungswerkstatt oder bei einem der Patientenversorgungsbetriebe in Heidelberg.

Dabei hat er nicht nur Positives erlebt: »Zuerst bekundet ihr Interesse, und dann höre ich ewig nichts von euch. Ihr habt echt Glück, dass ihr in der Orthopädietechnik so ein starkes Alleinstellungsmerkmal habt.« Das hat mich aufhorchen lassen – gerade in Zeiten von Fachkräftemangel fängt die Bindung an ein Unternehmen nicht erst mit der *Employee Experience*, sondern schon mit der *Candidate Experience* an.

Etwa zur selben Zeit, als Laurenz Praktikum bei uns machte, gab es im Unternehmen einen Personalwechsel. Eine neue *Head of Talent Acquisition and Recruiting* stieß zu uns. Eine ihrer Bedingungen: *Employer Branding* als strategischen Faktor mit einem eigenen Team etablieren. Ein ganzheitlicher Ansatz, an dem ich teilhaben wollte, denn ein Gedanke, der mir besonders wichtig war und ist: Wie können wir die Tradition unseres Unternehmens smart ins 21. Jahrhundert übersetzen und so nachhaltig junge Talente für uns gewinnen? Über die vergangenen zwei Jahre habe ich daher das Team als Sparringspartnerin begleitet.

Diese Case Study soll zeigen, wie man gerade den Nachwuchs, die Generation Z, mit Werten, Kultur und einem echten *Purpose* für sich begeistern kann. Selbst wenn die Konkurrenz groß ist.

Der Sache auf den Grund gehen – auch wenn es wehtut

Zum Start eines neuen Projekts gehört eine ausführliche Analyse des Status quo – auch wenn die wehtut. Das Team um Charlotte, Yasmin, Anika und Tatjana kam schnell zum Punkt: Ottobock ist ein Unternehmen, das wie fast alle Hidden Champions in einer Nische agiert. In unserem Fall ist das die Region Göttingen und die Orthopädietechnikbranche. Dort kennt man uns gut, abseits davon eher weniger. Denn auf den ersten Blick wirken Standorte wie Duderstadt und Königsee in Thüringen nicht attraktiv. Zudem locken andere große Arbeitgeber:innen in der Region mit Benefits wie einer 35-Stunden-Woche.

Unser Learning: Wir müssen schnell sein und Bewerbungsprozesse vor der Konkurrenz zum Abschluss bringen. Und wir müssen unseren *Purpose* und unsere Unternehmenskultur in den Mittelpunkt unserer Aktivitäten stellen. Denn so können wir gerade bei den jüngeren Generationen punkten.

Das unterstreicht auch Laurenz' Werdegang. Für Orthobionik entschied er sich, weil ihn die Technik faszinierte und er damit Menschen helfen kann. »Es gibt eigentlich nichts Schöneres, als Menschen Lebensqualität zurückzugeben«, sagte er im Gespräch. Mir und dem Team war klar: Unser *Purpose*, Menschen zu befähigen, ihr Leben wieder so zu leben, wie sie es wollen, ist unser größtes *Asset*.

Gesagt, getan: Die Strategie erwacht zum Leben

Zusammen machen die Generationen Z und Y ungefähr 35 Prozent der arbeitenden Bevölkerung aus. Sie wollen etwas bewegen, sich einbringen und sich mit ihrer Arbeit selbst verwirklichen. Wenn das möglich ist und die Voraussetzungen stimmen, bleiben sie im Unternehmen und bauen eine Bindung auf. Dabei stellen sie sich die Frage nach dem Warum. Und die Antwort darauf mussten wir mit unserem noch neuen Employer Branding Team finden.

Warum Ottobock? Das beantwortet unsere Employer Value Proposition (EVP), die das Team nach zahlreichen Brainstormings und einer ausführlichen Analyse formulierte. Sie beschreibt unsere Eigenschaften als Arbeitgeberin, ist die Grundlage für alle Employer-Branding-Maßnahmen und wächst kontinuierlich mit uns mit. Unsere Essenz: Jeder Mensch ist einzigartig.

Bei Ottobock stellen wir die Menschen in den Mittelpunkt, befähigen und stärken sie. Weil wir alle unterschiedlich sind, bringen wir vielfältige Denkweisen und Perspektiven ein; haben individuelle Bedürfnisse nach Unterstützung, Herausforderungen und psychologischer Sicherheit bei der Arbeit. Indem wir unsere Stärken bündeln, gestalten wir die Zukunft der menschlichen Mobilität.

Dabei stehen unsere Werte – menschlich, verlässlich, erfinderisch – im Zentrum. Wir sehen Mitarbeitende als Partner:innen und behandeln sie so. Wir vertrauen und helfen einander. Wir bieten ein Umfeld, das Spielfreude und Erfindungsreichtum mit Mut und Beharrlichkeit unterstützt, um die bestmöglichen Lösungen zu schaffen.

Die EVP, die wir erarbeitet haben, ist die Basis für ehrliche und authentische Geschichten rund um den Alltag im Unternehmen. Und wir lassen Menschen bei Ottobock diese Geschichten erzählen – beispielsweise via Social Media. Sie berichten offen über ihre Erfahrungen in der täglichen Arbeit. Darunter Laurenz, der teilt, wie er den Studiengang Orthobionik und seine damit verbundenen Praktika in unserer Entwicklung und Patientenversorgung erlebt hat.

Den Nachwuchs im Fokus

Unser Ziel: Mit allen Maßnahmen und Inhalten so individuell und persönlich wie möglich kommunizieren. Wie wir das in der Praxis umsetzen, wird an einer Kampagne für Auszubildende deutlich, die Charlotte, Anika und Tatjana wenige Tage nach der Strategieentwicklung mit mir teilten. Die Herausforderung: In den Regionen Königsee, Duderstadt und Berlin stellt Ottobock jedes Jahr etwa 40 Auszubildende ein.

Schwierig ist es besonders, in Südniedersachsen und Thüringen talentierte und qualifizierte Nachwuchskräfte zu finden.

Um Bewerbungen zu generieren, haben sie eine 360-Grad-Kampagne bestehend aus digitalen und regionalen Maßnahmen aufgesetzt. Dazu haben wir Inhalte für die Kanäle erstellt, auf denen sich die Generation Z aufhält, wie TikTok oder Instagram. Dort haben wir Einblicke in den Ausbildungsalltag und die Angebote von Ottobock gegeben und unsere Auszubildenden und dualen Student:innen erzählen lassen, wie sie die Ausbildung erleben. Begleitet wurde die Kampagne durch Anzeigenschaltung und Plakate in der Region sowie durch internes Marketing innerhalb der Belegschaft.

Mit Erfolg: Im Kampagnenzeitraum nahm der Traffic auf die speziell für Ausbildungsinteressierte gestaltete Website deutlich zu. Im Anschluss nahm auch die Anzahl an qualitativ hochwertigen Bewerbungen deutlich zu. Um das Ergebnis abzurunden, haben wir die Bearbeitungs- und Feedbackzeiten bei den Bewerbungen deutlich verkürzt, um Talente so schnell an uns zu binden.

Individuell, persönlich und nahbar – darauf kommt es an

Die Kampagne hat gezeigt: Vor allem eine Ansprache auf Augenhöhe von Mensch zu Mensch funktioniert für die Gen Z. Sie erwartet keinen Einheitsbrei, sondern individuelle, persönliche und nahbare Kommunikation an Orten, an denen sie sich aufhalten, auch virtuell. Das Unternehmen bewirbt sich bei den Talenten und nicht mehr andersrum.

Beim Recruiting geht es daher um mehr als nur den Job. Es geht um das Unternehmen, die Menschen, die dort arbeiten, den Zweck dahinter und die Werte wie Vielfalt und ein offenes Mindset. Die Generation Z möchte sich schließlich in einem Umfeld verwirklichen, in dem sie gehört wird und sie sich nicht verstellen muss. Das hat Laurenz nach der Bewerbungsphase in seinem Praktikum bei uns gefunden und dem Team geschrieben. »Es war extrem schön, das aus der Theorie Gelernte in der Praxis anzuwenden und die Ergebnisse der Patientenversorgung zu sehen. Viele Grüße an das coole Team in Heidelberg!«

JO DIETRICH

Jo Dietrich ist Mitgründer der Gen-Z-Agentur ZEAM, die er während seines Masters in International Management an der Nova SBE und der London School of Economics gegründet hat. Davor hat er für die zwei größten privaten Schweizer Mediengruppen Start-ups analysiert. Seit 2020 zählt er zu den Forbes 30 Under 30.

Mit einem Obstkorb gewinnt man keine jungen Talente

Gen-Z-Talente vergleichen sich mit der ganzen Welt

Das Smartphone führt die Gen Z als treuer Begleiter durch den Alltag und ermöglicht es ihnen, sich mit der ganzen Welt auszutauschen – und zu vergleichen. Egal, wie nah oder fern die gezeigten Realitäten online sind, sie bilden eine maßgebliche Grundlage für individuelle Entscheidungen. Entscheidungen von den True Digital Natives werden dadurch nicht nur aus ihrem Bauchgefühl heraus oder im Austausch mit Mitmenschen getroffen, sondern eben auch im Vergleich zu den unendlichen Möglichkeiten und Alternativen, die man online antrifft.

Während mittlerweile jedem Marketeer klar ist, was dies für die Konsument:innen von morgen bedeutet, so wissen die wenigsten HR-Abteilungen, dass die Implikationen für die Fachkräfte der Zukunft mindestens so relevant sind. Denn die Generation Z vergleicht ihre Arbeitsbedingungen nicht mit den Freund:innen aus dem Dorf oder den ehemaligen Kommiliton:innen – sondern mit der ganzen Welt.

Als wir ZEAM gegründet haben, dachten wir, dass Unternehmen mit unserer Hilfe hauptsächlich junge Kund:innen gewinnen wollen. Es geht ja schließlich um den Return on Investment! Doch schnell kam ein weiteres Thema dazu, denn die Lage bei der Nachwuchsgewinnung hat sich in kurzer Zeit rasant zugespitzt. Und dafür gibt es eine Erklärung. Denn obwohl die Generation Z die größte weltweit ist, sind wir in vielen westlichen Ländern bereits heute mit akutem Fachkräftemangel konfrontiert. Und in den nächsten Jahren werden 30 Prozent mehr Arbeitskräfte aus dem Berufsleben ausscheiden, als neue in den Arbeitsmarkt eintreten.

In dieser Fallstudie werden die großen Fragen rund um das Thema Gen Z als Talente heruntergebrochen und deren Antwort anhand eines einfachen Modells erklärt, das für alle Unternehmen der unterschiedlichsten Branchen anwendbar ist.

Wie wird man zu einem/einer attraktiven Arbeitgeber:in für junge Talente?

Es ist Mai 2022, und wir sind gerade im Zug von Zürich nach Stuttgart. In den vergangenen Wochen ist die Anzahl von E-Mails mit dem gleichen Betreff explodiert. Egal, ob Bauunternehmen, Versicherung oder Autohersteller, alle wollen eines wissen: »Wie werden wir ein:e attraktive/r Arbeitgeber:in für junge Talente?«

Am Ziel unserer Reise wartet ein 20-köpfiges Managementteam, das bei der Mercedes-Benz Group für die Produktion zuständig ist. Eine wichtige Arbeit in einem wichtigen Konzern. Laut der *Wirtschaftswoche* arbeiten über 800 000 Deutsche für die Automobilindustrie. Die Universum Student Survey 2021 hat ergeben, dass die Mercedes-Benz Group für Absolvent:innen in Wirtschaftswissenschaften an erster Stelle der beliebtesten Arbeitgeber:innen steht – vor Apple oder Tesla! Auch für die zukünftigen Ingenieur:innen ist man mit dem vierten Platz gut gerüstet. Und trotzdem: Der Fachkräftemangel ist real, und die Ansprüche ändern sich schnell.

Die Messlatte für Arbeitgeber:innen ist Airbnb, Google und Co.!

Wenige Tage davor hat Airbnb angekündigt, dass seine Mitarbeitenden ab sofort remote arbeiten können. In jedem Staat in den USA, ohne dass der Lohn angepasst wird, und 90 Tage pro Jahr in über 170 Ländern. Dafür würde es vereinfachte Abkommen mit Regierungen aushandeln, die es allen Unternehmen weltweit zur Verfügung stellen wird. Wow! Innerhalb von 48 Stunden wurde die Karriereseite von Airbnb über 800 000 Mal besucht.

Was aber hat das mit der Produktion von Mercedes-Benz zu tun? Junge Menschen vergleichen sich permanent. Das beschränkt sich aber nicht auf ihr Privatleben. Sobald man seinen Instagram-Feed öffnet, sieht man Gleichaltrige, die unter Palmen arbeiten. TikTok und LinkedIn sind kein bisschen besser. Da kommt schnell die Frage auf: Wieso ich nicht? Und dank Airbnb wird dieser Druck in Zukunft nochmals massiv erhöht werden.

Unsere *Gen-Z-Studie*, für die wir mit dem Marktforschungsunternehmen Link 2022 über 4150 Menschen in Deutschland und der Schweiz befragt haben, hat gezeigt, welchen Stellenwert flexibles Arbeiten für die Jungen hat. Flexible Arbeitszeiten und Teilzeitarbeit sind bei allen Generationen am beliebtesten, Desk Sharing und Co-Working-Spaces am unbeliebtesten. Ein klarer Unterschied (ausgenommen Gen Y) zeigt sich aber bei Remote-Arbeit, was die Gen Z deutlich lieber nutzen würde. Und das ist auch verständlich! Denn viele der Jungen konnten nach dem Abitur nicht auf die geplante Weltreise gehen, der Sprachaufenthalt musste abgesagt werden, das Auslandssemester fiel ins Wasser. Kurz: Mobilität war plötzlich keine Selbstverständlichkeit mehr. Was sie in den kommenden Jahren zu einem Luxusgut machen wird.

Doch wer Maschinen bedient, kann nicht in Portugal am Strand arbeiten! Das stimmt. Genauso wenig können Bauunternehmen flexible Arbeitszeiten anbieten, denn die Maschinen müssen ab 7 Uhr morgens in Betrieb sein. Was kann man da machen?

Mit dem Lovejob-Modell zum/zur #1-Arbeitgeber:in für Gen Z

Talente schauen bei einem Job auf drei Dinge: das Einkommen, die interne Wertschätzung und die externe Wertschätzung. Die interne Wertschätzung wird einem vom Unternehmen entgegengebracht, die externe Wertschätzung ist, wie das Umfeld auf den Job reagiert. Als Unternehmen muss man unbedingt verstehen, wo man in den jeweiligen Bereichen steht, auch im Vergleich mit der Konkurrenz. Und darauf basierend muss man die drei Komponenten in eine Balance bringen.

Arbeitet man zum Beispiel bei einer Tabakfirma, dann klopfen einem die Freund:innen nicht gerade anerkennend auf die Schulter. Dafür verdient man doppelt so viel wie sie. Bei einem Start-up hört man jeden

Tag, wie wichtig man fürs Team ist, und am Abend gibt's Freibier im Büro. Dafür aber weniger Geld. Verändert sich etwas an dieser Balance – egal, ob intern oder extern –, sollte man darauf mit einem Gegengewicht reagieren.

Die Produktion von Mercedes-Benz kann jungen Talenten kein Homeoffice anbieten. In Anbetracht des Lovejob-Modells ist das aber keine Sackgasse, sondern ein Vakuum. Doch wo? Der Grund ist nicht, dass man den Mitarbeitenden nicht traut, dass sie zu Hause wirklich arbeiten (interne Wertschätzung), sondern dass der Job nicht »modern« genug ist, um diese Freiheit zulassen zu können (externe Wertschätzung). Dafür könnte man in das Arbeitsklima am Arbeitsplatz investieren, was für die Generation Z der wichtigste Aspekt in einem Job ist. Oder Mercedes-Benz verstärkt die Kommunikation bezüglich Wichtigkeit der Produktion. Denn Jobsicherheit kommt für die Generation Z bereits an dritter Stelle – und im Gegensatz zu Airbnb musste Mercedes-Benz 2020 nicht ein Viertel der gesamten Belegschaft entlassen.

KATHERINA REICHE

Katherina Reiche ist Diplom-Chemikerin und war 18 Jahre Mitglied des Deutschen Bundestages sowie sieben Jahre Mitglied der Bundesregierung. Seit 2020 ist sie Vorsitzende des Vorstandes der Westenergie AG und Vorsitzende des Nationalen Wasserstoffrates der Bundesregierung. Seit 2016 ist sie zudem Mitglied im Rat für Nachhaltige Entwicklung. Katherina Reiche setzt sich für die Förderung von Diversität in Unternehmen ein und ist Gründerin der FEMpower-Akademie der Westenergie AG. Ziel der Akademie ist, Frauen aus dem Unternehmen auf ihrem beruflichen Weg zu begleiten und auf Führungspositionen vorzubereiten.

Mit kleinen Schritten viel bewirken. Mit E-Sports Techniktalente gewinnen

Wie andere Industrieunternehmen suchen auch wir als Westenergie intensiv nach neuen Talenten, vor allem in den technischen Berufen. Laut Bundesagentur für Arbeit kamen im Jahr 2021 zum Beispiel auf 100 ausgeschriebene Stellen in der Energietechnik nur 67 Bewerber:innen. Im Heizungs- und Klimatechnik-Handwerk fehlen rund 30 000 Auszubildende bundesweit. Dieser Fachkräftemangel ist nicht nur ein Problem für die Zukunftsfähigkeit der Betriebe und des Handwerks generell, sondern auch für die praktische Umsetzung der Energiewende. Dabei besteht für die umweltbewusste Gen Z hier eine große Chance, aktiv für den Klimaschutz zu wirken. Als Energietechniker:in arbeitet man gewissermaßen »Everyday for Future«. Bei der Ansprache der Gen Z haben wir aber schon länger gemerkt, dass wir die Jugendlichen und jungen Erwachsenen auf den klassischen Wegen, zum Beispiel über Zeitungsanzeigen, Presseberichte und selbst über bestimmte soziale Netzwerke, kaum noch erreichen. Die aktuelle Studie *Jugend, Information, Medien* (JIM) unter 1 200 Jugendlichen zwischen zwölf und 19 Jahren belegt das: So haben zwar 84 Prozent der Befragten ein Abo für einen Video-Streamingdienst und 76 Prozent für einen Musik-Streamingdienst, aber nur 29 Prozent ein Zeitschriften-Abo. Und als Informationsquelle für das aktuelle Tagesgeschehen liegen Instagram und YouTube noch vor Google News.

Gleichzeitig hat unsere eigene Mitarbeiter:innenbefragung im Herbst 2021 gezeigt, dass die individuellen Bedürfnisse unserer jungen Mitarbeiter:innen je nach Berufsgruppe unterschiedlich sind. Unsere Kolleg:innen aus der IT und Datenverarbeitung wollen vor allem Flexibilität und Kreativität. Unseren jungen Techniker:innen sind dagegen Verantwortungsübernahme und Arbeit im Team sehr wichtig.

Das heißt für uns als Unternehmen: Wir müssen nicht nur neue, sondern auch differenzierte und maßgeschneiderte Wege gehen, um junge Talente für uns zu gewinnen und dauerhaft an uns zu binden.

Zwischen Zocken und Löten: Unser E-Sports-Turnier

Unsere Auszubildenden in den technischen Berufen sind vor allem in unserem Tochterunternehmen Westnetz beschäftigt. Das Team im Aus- und Weiterbildungszentrum Rauschermühle in Rheinland-Pfalz hat bereits vor der Pandemie neue Ansätze in der Ansprache von Schüler:innen erfolgreich ausprobiert, unter anderem mit Schüler:innenwettbewerben im Ausbildungszentrum. Im Herbst 2019 erfolgte dann der Schritt in die digitale Welt: mit einem E-Sports-Turnier. 23 Teams mit je zwei Spieler:innen nahmen an dem Wettbewerb teil und spielten in unseren Seminarräumen und auf einer 15 Quadratmeter großen LED-Videowand digital gegeneinander Fußball. Zwischen den Spielen konnten die Teilnehmer:innen dann unser Unternehmen und unsere Ausbildung kennen lernen. Sie konnten zum Beispiel erfahren, wie man Platinen lötet, und viele Fragen an unsere Ausbilder:innen stellen. Insgesamt hat sich das als eine sehr gelungene Veranstaltung erwiesen.

Alles beginnt mit Vertrauen und persönlichem Kontakt

Unser E-Sports-Turnier hat gezeigt, dass wir als Unternehmen manchmal auch mit kleinen, aber genau auf unsere Zielgruppe zugeschnittenen Schritten viel erreichen können. Der individuelle und persönliche Kontakt zu lediglich fünf jungen Menschen in einem entspannten Umfeld kann am Ende wirkungsvoller sein als der modern gestaltete Messestand auf einer Ausbildungsbörse. Wirkungsvoll heißt in diesem Fall, die Chance deutlich zu erhöhen, dass die Jugendlichen tatsächlich eine Ausbildung bei der Westenergie-Familie beginnen wollen, weil sie zum Beispiel ihre Ausbilder:innen schon kennen.

Konkret ist am Beispiel E-Sports deutlich geworden, dass wir zum einen auf diesem Weg einen leichteren Zugang zu digitalaffinen Jugendlichen bekommen. Das ist insofern wichtig, weil die Energiewende nur digital gelingt. Deshalb müssen auch unsere zukünftigen Kolleg:innen »digital« sein. Zum anderen hat das Event gezeigt, dass wir uns als Unternehmen noch stärker an der Lebensrealität junger Menschen orientieren müssen. Die Kolleg:innen haben deshalb im Anschluss auch eine eigene Anzeigenkampagne mit Bezug zu E-Sports entwickelt und vor allem über die sozialen Netzwerke gezielt an Jugendliche ausgespielt. Die beliebteste Anzeige war ein Motiv mit der Aufschrift »Tagsüber Techniker:in, abends Gamer: Bewirb Dich jetzt«. Einer der vielen positiven Kommentare unter den Postings hieß: »Mega, zocken mit den Kolleg:innen nach dem Dienst, chillig.« Dieses etwas lockere Posting hat allerdings einen ernsthaften Kern: Als Unternehmen müssen wir uns nicht zuletzt im Zuge von New Work mehr Gedanken darüber machen, wie wir eine attraktive Arbeitsatmosphäre mit dem Wunsch der Gen Z nach klarer Work-Life-Separation in Balance bringen.

Maßgeschneiderte Ansprache und Angebote: das Erfolgsrezept zur Talentgewinnung

Wir haben aus unserem E-Sports-Turnier gelernt, dass unsere neuen Wege in der Ansprache von Jugendlichen vielversprechend sind und dass wir sie weitergehen müssen. Längst bespielen wir einen eigenen Karrierekanal auf YouTube, auf dem wir unsere zahlreichen Ausbildungsmöglichkeiten vorstellen. Um einen Einstieg bei uns noch attraktiver zu machen, haben wir unsere Arbeitgeberleistungen an die Gen Z angepasst und ausgebaut. So bekommen unsere Azubis auch ein Dienst-Tablet oder einen Dienst-Laptop plus Smartphone sowie einen Mobilitätszuschuss und eine arbeitgeberfinanzierte betriebliche Altersversorgung.

Was wir schließlich mit Blick auf die sehr hohe Quote männlicher Teilnehmer am E-Sports-Turnier verstanden haben: Wir müssen uns noch stärker um weibliche Azubis in den Technikberufen bemühen. Deshalb ist für uns der bundesweite Girls' Day ein sehr wichtiger Tag: An verschiedenen Standorten bieten wir jungen Frauen spannende Einblicke in Jobs wie Elektrotechnikerin oder IT-Systemelektronikerin.

Und auch hier versuchen wir, eine Brücke zur Lebenswelt der Gen Z zu schlagen, indem wir ihr das Thema erneuerbare Energien näherbringen und sie dazu etwa eine Solarkugel bauen lassen. Und schließlich haben wir im vergangenen Jahr die FEMpower-Akademie ins Leben gerufen. Ihr Ziel ist es, unsere Kolleginnen im Konzern sichtbarer zu machen, aber vor allem bei ihrem beruflichem Werdegang zu unterstützen. Dazu gehört auch, dass wir uns gerade mit den Kolleginnen in den technischen Berufen austauschen, wie wir noch mehr Frauen für unser Unternehmen gewinnen können.

ANAHITA THOMS

Anahita Thoms ist Partnerin bei Baker McKenzie im Bereich Nachhaltigkeit, Handel und Compliance. Sie ist Vorstandsmitglied der Atlantik-Brücke e.V. und Mitglied im Nationalen Komitee von Unicef e.V. 2020 wurde sie vom Weltwirtschaftsforum zum Young Global Leader ernannt, und das *Manager Magazin* kürte sie zu den »100 einflussreichsten Frauen der deutschen Wirtschaft«.

Grüne Werte vor schwarzen Zahlen? Weshalb Nachhaltigkeit zum Erfolgsfaktor im Recruiting wird

Unternehmenswerte und eigene Werte müssen für Gen Z Hand in Hand gehen

Junge Menschen kennen – auch dank der ihnen quasi in die Wiege gelegten Informationskompetenz – ihren eigenen Marktwert auf dem Arbeitsmarkt. Das befähigt sie dazu, klar artikulierte Vorstellungen an ihren zukünftigen Arbeitsplatz zu formulieren. Dazu gehört das Streben nach persönlicher Weiterentwicklung und autonomer Lebensgestaltung. Hinzu kommt, dass die Gen Z ihrem Beruf nicht nur den Zweck des Geldverdienens zuschreibt, sondern diesen als Ort der Selbstverwirklichung und Sinnstiftung versteht.

Arbeitgeber:innen werden zunehmend mit konkreten Erwartungen der jungen Talente konfrontiert, was nachhaltiges Handeln, soziales Engagement, Förderung von Diversität und Einsatz für Menschenrechte anbelangt. Ihnen ist wichtig, dass der/die Arbeitgeber:in ihre Werte teilt, sich mit diesen auseinandersetzt und mit sinnvollen Konzepten und aktivem Engagement reagiert. Die Gen Z berücksichtigt, inwieweit die Unternehmenswerte mit den persönlichen Werten übereinstimmen, und hinterfragt immer mehr den Sinn und Zweck des jeweiligen Unternehmens an sich.

Nicht nur das Klima wandelt sich, die Bewerber:innen tun es auch

Im Rahmen meiner anwaltlichen Beratung bekomme ich tiefe Einblicke in die unterschiedlichsten Unternehmen, von DAX 40 über mittelständische Familienunternehmen bis zu Fortune-500-Unternehmen. Als

Partnerin sehe ich Bewerbungen potenzieller Arbeitnehmer:innen, die sich als Anwält:innen, als Law Clerks oder als Assistent:innen bewerben. Sie nehmen vermehrt explizit Bezug auf das Thema Nachhaltigkeit. »Ich bewerbe mich auf diese Stelle, weil Sie soziales Engagement, Rechtswissenschaften und Unternehmertum unter einen Hut bringen«, ist mittlerweile in mindestens jeder zweiten Bewerbung für eine Tätigkeit in meinem Team zu lesen. Zudem nehme ich gerade bei jungen Bewerber:innen ein glaubwürdig vermitteltes persönliches Engagement im Bereich der ökologischen und sozialen Nachhaltigkeit wahr, beispielsweise in Form von Mitarbeit in Vereinen oder Organisationen.

Der War for Talents spitzt sich zu

Die Tatsache, dass die Gen Z andere Anforderungen an die Arbeitgeber:innen stellt als die vorherigen Generationen, ist in der Unternehmenswelt bekannt. Begriffe wie Corporate Social Responsibility und Employer Branding gewinnen stetig an Relevanz. Daher legen Arbeitgeber:innen gerade beim Recruiting den Schwerpunkt zunehmend darauf, ihr Engagement im Bereich Nachhaltigkeit zu kommunizieren. Hierbei ist jedoch Vorsicht geboten. Die Gen Z betrachtet solche Aussagen durchaus kritisch. Sogenanntes Greenwashing, bei dem sich ein Unternehmen mit sozialen oder ökologischen Leistungen schmückt, die tatsächlich nicht vorhanden sind oder im Vergleich zu den Auswirkungen des Kerngeschäfts verschwindend gering erscheinen, durchschaut die Gen Z in der Regel mit der Konsequenz, dass die Attraktivität der Arbeitgeber:innen für sie erheblich sinkt. Ebenso verhält es sich mit vergleichbaren Versprechungen auf der Ebene der Diversität.

Innovative Start-ups teilen regelmäßig die Werte der Gen Z, und ihr soziales sowie ökologisches Engagement ist ganz selbstverständlich ein wichtiger Bestandteil ihres unternehmerischen Konzepts. Damit ziehen sie potenzielle Arbeitnehmer:innen an, die nach einer sinnstiftenden und flexiblen Arbeit suchen. So sehe ich beispielsweise auch Kolleg:innen in Großkanzleien, die nach einer Karriere außerhalb Big Law streben, indem sie sich für Legal-Tech-Start-ups oder junge Unternehmen im Bereich grüner Technologien entscheiden. Mit dieser Konkurrenzsituation wird sich der War for Talents künftig gerade für die klassischen Wirtschaftszweige noch mehr zuspitzen.

Kein Erfolg ohne Nachhaltigkeit – Werte sind wertvoll

Dies zeigt: Wirtschaftlicher Erfolg wird ohne Umdenken in puncto Nachhaltigkeit langfristig nicht mehr möglich sein.

Nachhaltigkeit hat viele Facetten. Mit welchen Maßnahmen im Bereich Nachhaltigkeit Unternehmen Bewerber:innen der Gen Z von sich überzeugen können, kommt auf das Unternehmen und die Industrie an. Unternehmen des produzierenden Gewerbes werden sich vertieft mit umweltverträglichen Produktionsprozessen auseinandersetzen müssen. Kanzleien müssen kreativ werden, idealerweise im Austausch mit der Gen Z. An möglichen Initiativen und Maßnahmen mangelt es jedenfalls nicht: Zusammenarbeit mit Umwelt- und Klimaschutzprojekten, Diversität in der Belegschaft, Pro-bono-Arbeit, Investition in Technologie, um Dienstreisen zu reduzieren, Müllreduktion und Verarbeitung regionaler Lebensmittel in der Kantine sind nur einige Beispiele.

Uns ist es als Kanzlei ein Anliegen, früh anzusetzen. Wir haben unterschiedliche Sustainable Development Goals (SDGs) identifiziert, die wir besonders unterstützen. Beispielsweise engagieren wir uns aus unseren deutschen Büros heraus bei der weltweiten Plattform Treedom. Diese ermöglicht es, einen Baum aus der Ferne zu pflanzen und ihm online zu folgen. Mentees schenkten wir während unserer Nachwuchsweihnachtsfeier einen eigenen Baumzögling, ebenso erhielten Kolleg:innen anlässlich des Internationalen Frauentags ihren eigenen Baum in Guatemala. So entsteht ein gemeinsamer Baker McKenzie Wald.

Im Bereich Nachwuchsförderung spielt unsere Nachhaltigkeitsstrategie eine wichtige Rolle. Das Baker McKenzie Summer Camp für Mentees des Career Mentorship Program bietet eine gute Möglichkeit, der Gen Z Themen vor Augen zu führen, die wir als Kanzlei vorantreiben. Im Zuge unseres jüngsten Summer Camps sprachen wir mit der jüngeren Generation über B-Green, unser globales Umweltmanagementprogramm.

Wenn Unternehmen entscheiden, im Hinblick auf Nachhaltigkeit Geld sparen zu wollen, hat dies perspektivisch denselben Effekt, wie wenn man entscheidet, eine Uhr anzuhalten, um Zeit zu sparen. Um im Recruiting dauerhaft erfolgreich zu sein, wird sich die Wirtschaft den Erwartungen der jungen Wirtschaftsteilnehmer:innen anpassen müssen. Das Engagement im ökologischen und sozialen Bereich sowie der Einsatz für mehr Diversität und den Schutz der Menschenrechte wird nicht mehr als rühmenswerte Sonderanstrengung erachtet, sondern vorausgesetzt.

Die Nachhaltigkeitsprofile der Unternehmen haben sich zu einem wesentlichen Faktor bei ihrer Positionierung auf dem Arbeitsmarkt und dem damit verbundenen Rekrutierungserfolg entwickelt. In diesem Sinne gilt: Werte sind – auch wirtschaftlich gesehen – wertvoll.

VAITEA COWAN

Vaitea Cowan gründete im Jahr 2017 mit zwei Mitbegründern das Energietechnologieunternehmen Enapter. Heute leitet sie die Kommunikation von Enapter. Vaitea steht auf der Forbes-30-Under-30-Liste für Energy 2020. Neben anderen Auszeichnungen hat sie Enapter dabei unterstützt, den ersten Earthshot Prize »Fix Our Climate« zu gewinnen, der von Prinz William und der Royal Foundation ins Leben gerufen wurde. Vaitea hat einen Bachelorabschluss in Handel von der Concordia University, John Molson School of Business (Montréal).

Der Kampf gegen den Klimawandel triggert unsere Talente

Die Gen Z möchte selbst Teil von Lösungen sein

Für die Gen Z spielt der Sinn im persönlichen Aufgabenfeld eine mindestens ebenso große Rolle wie das tägliche Agieren für eine gute Sache, beispielsweise in einem aktiven Kampf gegen den Klimawandel. Die Gen Z sorgt sich um ihre Zukunft, in der sie – gemeinsam mit ihren Kindern – für viele Jahrzehnte leben will. Die Herausforderungen unserer Zeit anzunehmen und Teil der Lösung zu sein, treibt junge Leute an.

Dieses Bedürfnis erfüllt das globale Energietechnologieunternehmen Enapter. Einerseits setzt sich Enapter für eine Zukunft ein, in der Energie aus grünem Wasserstoff statt aus fossilen Brennstoffen gewonnen wird. Andererseits weiß das Start-up sehr genau, wie es Talente aus der Gen Z gewinnen und binden kann.

Die Case Study beschreibt, wie es gelingt, den gegenseitigen Perfect Fit für das Unternehmen zu finden. Dabei zeigen wir, welche Rolle dabei Kompetenzen, Werte und Prinzipien spielen und warum das Gefühl, Teil einer Mission zu sein, so wichtig ist.

Der Cultural Fit steht an erster Stelle

Die Vision von Enapter ist eine Zukunft, in der fossile Brennstoffe nicht mehr verbrannt werden und erneuerbare Energien den Strom und grüner Wasserstoff den Treibstoff für die Welt bereitstellen. Es geht also um das Klima und eine bahnbrechende Technologie, die die Kosten von grünem Wasserstoff senkt, um diesen allen zugänglich zu machen.

Dahinter steckt der intrinsische Antrieb, den Klimawandel aufzuhalten. Das Zeitfenster dafür ist klein, weshalb Geschwindigkeit eine große Rolle für das Unternehmen und die Mitarbeitenden spielt.

Diese Vision trifft den Nerv der Gen Z. Die Möglichkeit, einen relevanten Unterschied zu machen und mit Leidenschaft einen sinnvollen Beitrag für unsere Zukunft zu leisten, treibt viele junge Menschen an.

Die Passung erhöht sich, wenn sich die Werte und Prinzipien von Unternehmen und Bewerber:in decken. Insbesondere mit unseren Leitprinzipien »Dringlichkeit, Einfachheit und Transparenz« spricht das Unternehmen die Gen Z direkt an und positioniert sich damit auf dem Markt.

Enapter wächst und sucht kontinuierlich neue Kolleg:innen. Durch den steigenden Bekanntheitsgrad nimmt auch die Anzahl an Bewerbungen zu. Im Recruiting-Prozess findet nach der Sichtung der Bewerbung ein erstes Gespräch mit einem/einer Recruiter:in statt. Es folgen ein bis zwei Gespräche mit dem potenziellen neuen Team und dem Team Lead.

Bei der Auswahl von geeigneten Kandidat:innen haben wir einen internen Grundsatz: »Every hire is a hell yeah!« Das heißt, wir stellen nur Personen ein, von denen wir alle komplett überzeugt sind. Wir achten dabei auf Soft und Hard Skills sowie die Motivation bezüglich unseres Unternehmens und unserer Vision. Während wir eine hohe Diversität in allen Teams anstreben, die sich auch in unterschiedlichen Denk- und Herangehensweisen ausdrückt, achten wir darauf, dass sich die grundlegenden Werte und Prinzipien mit unseren decken. Diese reichen beispielsweise von nachhaltigem und pragmatischem Denken über Eigeninitiative, Offenheit und Authentizität bis hin zu Vertrauen. All das beruht stets auf Gegenseitigkeit – vom/von der Praktikanten/Praktikantin bis zum/zur CEO. In Summe steht der Cultural Fit bei einer Einstellung sowie im täglichen Miteinander für uns an erster Stelle.

Echte Authentizität lockt die junge Generation

Damit uns die Entscheidungen möglichst gut gelingen, beziehen wir je nach Position verschiedene Personen in den Auswahlprozess mit ein. So können wir sicherstellen, dass Bewerber:innen möglichst viele potenzielle Kolleg:innen kennen lernen und einen realistischen Einblick in unsere Arbeitsweise erhalten.

Obwohl es uns an Bewerbungen nicht mangelt, ist es herausfordernd, die passenden Leute zu finden. Wir kommunizieren und suchen natürlich über verschiedene Kanäle. Dabei achten wir darauf, dass wir immer authentisch sind. Authentizität ist für uns, aber auch für die Gen Z sehr wichtig, denn wir haben erkannt, dass wir nicht perfekt sind, und das ist in Ordnung. Es gibt nicht die eine perfekte Lösung für den Klimawandel. Wir brauchen eine bunte Mischung von Fähigkeiten und Menschen. Dabei lautet eines unserer Credos, dass es besser ist, etwas zu tun, was nicht perfekt ist, als nichts zu tun. Wir sollten also aktiv werden, uns Feedback einholen und uns so kontinuierlich verbessern. Das ist auch wichtig, um schnell handeln zu können. Aus meiner Sicht spielt echte Authentizität für uns eine große Rolle, um aus der Masse von Arbeitgeber:innen herauszustechen. Diese Authentizität machen wir sichtbar, besonders über die sozialen Medien. Ob auf Facebook, Instagram, YouTube, Twitter oder LinkedIn – wir zeigen die Gesichter und Stimmen hinter Enapter: menschlich und authentisch. Beispielsweise sieht man auf unseren Schulungsvideos, wie ein junger Kollege, der sich selbst filmt, mit viel Enthusiasmus unsere Systeme erklärt. Das Video ist vielleicht nicht perfekt, aber die Botschaft ist klar und deutlich.

Die »Generation Wasserstoff« muss man spüren

Was wir gelernt haben, ist, wie wir neue, potenzielle Kollegen:innen am besten erreichen. Das funktioniert vor allem über die sozialen Medien. Besonders gut kam eine Veranstaltung im letzten Jahr an. Sie nannte sich »Generation Wasserstoff«. Damit haben wir uns explizit an die Zielgruppen der Millennials und der Gen Z gerichtet. Unser Ziel des Events war es, die jungen Leute mit grünem Wasserstoff vertraut zu machen und zu vermitteln, welche Rolle grüner Wasserstoff in Zukunft spielen wird und welche Technologien es bereits gibt. Wir haben verschiedene Workshops, Podiumsdiskussionen sowie eine fortlaufende Design Challenge angeboten. Aber auch Pitches, Gewinnspiele sowie Reden von Vorreiter:innen für grünen Wassersoff boten viel Raum für

Spaß und Networking. Außerdem haben wir die 3D-Modellierungs-Community GrabCAD eingebunden und so der Gen Z eine unkonventionelle und kreative Möglichkeit geboten, sich mit den Herausforderungen ihrer Arbeit rund um grünen Wasserstoff auseinanderzusetzen. Das war ein sehr guter Weg, um Menschen zusammenzubringen und das Bewusstsein für unser Thema zu schärfen. Das Feedback hat uns gezeigt, dass Menschen schnell überzeugt sind, wenn sie den Unternehmensgeist spüren und verstehen – darauf legen wir ein besonderes Augenmerk.

Warum brauchen wir grünen Wasserstoff eigentlich?

Wenn wir uns den Gesamtenergieverbrauch heutzutage ansehen, werden 20 Prozent in Form von Elektrizität hergestellt, also 20 Prozent aus Elektronen. Dafür sorgen Erzeuger von Solar- und Windstrom sowie erneuerbarem Strom. Sie leisten großartige Arbeit bei der Ersetzung fossiler Brennstoffe im Energiesektor. Das bedeutet allerdings, dass 80 Prozent in einer anderen Form, nämlich in Form von Molekülen, erzeugt werden. Dabei handelt es sich vor allem um Brennstoffe und Gase, die beispielsweise im Heizungssektor, im Kühlungssektor, in der Industrie und im Verkehrssektor verbraucht werden. Für diese Moleküle gilt es, eine Alternative zu finden. Grüner Wasserstoff ist ein sauberes Molekül, das die schmutzigen Moleküle in unserem Energieverbrauch ersetzen kann. Mit unserer Lösung tragen wir dazu bei, dass dieses saubere Molekül, der grüne Wasserstoff, in Zukunft für alle überall verfügbar und zugänglich ist und die Energiewende mit vorantreibt.

Frage 2

Welche Fähigkeiten zeichnen die Gen Z aus, und wie setze ich diese bestmöglich ein?

(Führung)

ANNAHITA ESMAILZADEH

Seit 2021 leitet Annahita Esmailzadeh den Bereich Customer Success Account Management für die Reise- und Transportindustrie sowie für den Energie- und Versorgungssektor bei Microsoft. Vor ihrer aktuellen Funktion verantwortete die studierte Wirtschaftsinformatikerin als Head of Innovation den Innovationsbereich für das SAP Labs in München. Als eine der bedeutendsten Business Influencerinnen und Speakerinnen im DACH-Raum, setzt sie ihre Reichweite auf den sozialen Netzwerken und in den Medien für mehr Diversität in der Wirtschaft sowie moderne Kultur- und Führungsansätze in der Arbeitswelt ein.

Wer führt hier wen? Der neue Führungsanspruch der Gen Z

Wie funktioniert die Führung der Generation der Zukunft?

Mit der Generation Z betreten derzeit Menschen den Arbeitsmarkt, die ganz andere Werte und Erwartungshaltungen mitbringen als ihre Vorgänger:innen. Junge Menschen, die ganz klar ihren Wert kennen, sich ihrer Möglichkeiten bewusst sind und ihre gewünschten Rahmenbedingungen selbstbewusst einfordern. Das Credo der Generation Z ist meist: »Alles ist möglich.« Damit einher geht ihr Drang zu Selbstverwirklichung und freier Entfaltung. Diesen jungen Talenten sind planbare Arbeitszeiten, ihre Work-Life-Balance und Freizeitgestaltung bedeutend wichtiger als den Vorgängergenerationen. Im gleichen Zuge ist ihre Loyalität zu ihren Arbeitgeber:innen oft schwächer ausgeprägt. Damit stellen sie auch Führungskräfte vor ganz neue Herausforderungen. Denn die Gen Z tickt anders – und will auch anders geführt werden.

Wer bewirbt sich hier bei wem?

Anders als in meiner Generation – der Generation Y – wurde die Gen Z schon im frühesten Kindesalter mit einer digitalen Informationsflut konfrontiert. Sie durfte eine Welt ohne neue Technologien niemals kennen lernen Die Digitalisierung wurde ihr damit förmlich in die Wiege gelegt. Die Generation Z ist mit dem Smartphone als verlängerten Arm aufgewachsen und agiert in der digitalen Welt spürbar souveräner und technisch versierter als vorherige Jahrgänge. Zum Vergleich: Mein erstes Handy (ein schier unzerstörbares Nokia 3310 mit schwindelerregender Akkulaufzeit) bekam ich erst mit 16 Jahren. Die entsetzten Blicke der Generation Z bei dieser Vorstellung kann ich mir bildlich vorstellen.

Doch nicht nur im Hinblick auf die Digitalisierung unterscheiden sich die Generationen Y und Z. Ich erinnere mich noch gut an meinen eigenen irritierten Blick, als ich einst von einer jungen Bewerberin, die sich für ein Praktikum bei mir im Team interessierte, im ersten gemeinsamen Gespräch sehr deutlich auf ihr ausgeprägtes Bedürfnis nach frühem Feierabend und flexibler Rücksichtnahme auf ihr Privatleben hingewiesen wurde. Und das in den ersten fünf Minuten des Bewerbungsgesprächs. Wie ein Flashback kamen mir damals meine eigenen ersten Vorstellungsgespräche während des Studiums in den Sinn. Ich erinnere mich noch gut daran, wie ich in jenen Gesprächen stets eifrig versicherte, dass Überstunden für mich selbstverständlich dazugehören würden – natürlich unbezahlt. Derartige Forderungen, wie im Falle dieser Bewerberin, wären für mich damals absolut absurd und abwegig gewesen.

Obwohl es große Schnittmengen zwischen den Generationen Y und Z gibt, existieren aus meiner Sicht auch gravierende Unterschiede. Während meine Generation etwa versucht, Arbeit und Privatleben im Sinne einer Work-Life-Balance in Einklang zu bringen, zieht die Generation Z hier entschieden eine klare Trennlinie. Wir erschütterten als Generation Y mit unserer Sicht auf die Dinge bereits die Arbeitswelt in ihren Grundfesten. Wir waren Vorkämpfer:innen für die Arbeitswelt der Zukunft und setzten uns etwa erbittert für Homeoffice oder flexible Arbeitsmodelle ein. Dinge, die heutzutage von der Generation Z schulterzuckend als selbstverständlich hingenommen werden. Nun steht den Unternehmen mit dem Auftritt der Generation Z ein weiterer – wahrscheinlich gravierenderer – Kulturwandel bevor.

Die Herausforderungen in der Führung einer freiheitsliebenden Generation

Kaum eine Gruppe von Arbeitskräften wird zukünftig dringender in Unternehmen benötigt als die Generation Z. Und diese weiß sehr genau um ihren Wert für Arbeitgeber:innen. Die Generation Z ist in Sachen bedingungslosem Arbeitseinsatz zwar häufig zurückhaltender als ältere Generationen, doch dafür in ihrer Erwartungshaltung umso fordernder. Sie wünscht sich ein Umfeld, das Freiraum für Freizeit, Ideen und Kreativität lässt, aber zugleich eine klare Abgrenzung zwischen Arbeit und Privatleben ermöglicht. Zusatzleistungen und Benefits werden eher als Hygienefaktor zur Kenntnis genommen. Zugleich ist ein ausgeprägter Wunsch nach einem nachvollziehbaren Corporate Purpose und flachen Hierarchien gegeben. Auch die Ansprüche der Gen Z an ihre Führungskräfte sind hoch. Sie wünschen sich weniger Anweisungen und Bewertungen, sondern bevorzugt Impulse und Lösungswege. Sie suchen damit eher Mentor:innen und Coaches und weniger »klassische« Chef:innen. Die Devise der Gen Z: Führungskräfte sollten Visionär:innen und keine Kontrolleur:innen sein. Die Gen Z fühlt sich damit von Führungskräften angezogen, die sie inspirieren, motivieren und begeistern können. Menschen, die ihnen eine Vision aufzeigen, mit der sie sich identifizieren können. Diese jungen Talente suchen keine »Bosse« – sie suchen authentische Befähiger:innen.

Die Generation Y als Scharnier zwischen den Generationen

Die Generation Z forciert einen Kulturwandel in Unternehmen. Das Fundament hierfür haben ihnen vorhergehende Generationen bereits geebnet. Sie fordern von Unternehmen nicht nur einen klaren Purpose und radikale Flexibilität, sondern stellen auch Anforderungen an die vorherrschende Führungskultur: Die Gen Z verabscheut Mikromanagement und hat im gleichen Zuge das Bedürfnis nach einer ausgeprägten Feedbackkultur sowie einer wertschätzenden Fehlerkultur. Die Zler:innen sind als Digital Natives in einem Umfeld aufgewachsen, das sie an permanente Kommunikation und Feedback gewöhnt hat. Folglich wollen sie stets nachvollziehen können, wo sie gerade stehen – jährliche Mitarbeiter:innengespräche sind für sie damit definitiv nicht ausreichend. Führungskräfte sollten ihre Feedbackkultur evaluieren und an die Bedürfnisse der jungen Generation anpassen. Meines Erachtens ist es durchaus sinnvoll, wöchentliche Gespräche mit ihnen führen und in diesen auf anschauliche Weise Informationen zu ihren aktuellen Leistungen einfließen zu lassen. Hierbei sollte der dahinterliegende Sinn der Aufgabe vorab stets klar kommuniziert werden.

Unternehmen sollten darüber hinaus konkrete Maßnahmen definieren, um ihren Führungskräften und den Mitarbeitenden anderer Generationen einen offenen Austausch mit der Generation Z zu ermöglichen. Hierbei haben sich Reverse-Mentoring-Programme, Generationen-Workshops und regelmäßige Impulsvorträge von Vertreter:innen verschiedener Generationen bewährt.

Aus meiner eigenen Erfahrung kann in der Vermittlung und in dem Diskurs zwischen den Generationen die Generation Y eine entscheidende Rolle spielen. Als Vertreterin der Gen Y und zugleich Führungskraft im Tech-Bereich leite ich in der Regel Teams, die eine Bandbreite verschiedener Generationen vereinen. Hierbei kommt mir zugute, dass ich die »alte« Arbeitswelt noch kenne und damit Verständnis für die Vorbehalte und Bedürfnisse der Vorgängergenerationen mitbringe, aber zugleich auch Forderungen der Generation Z gut nachempfinden kann. Die Generation Y fungiert damit oft als Scharnier zwischen den älteren Generationen und der jungen Generation und spielt damit häufig eine Übersetzungsrolle zwischen den »Boomern« und der Gen Z.

NICOLAI SCHORK UND ALEXANDER GIESECKE

Nicolai Schork und Alexander Giesecke (Forbes 30 Under 30) sind Gründer und Geschäftsführer von simpleclub, der bekanntesten Lern-App in Deutschland für Schüler:innen und Auszubildende mit 2 Millionen monatlichen Nutzern. Heute ist simpleclub eines der am schnellsten wachsenden EdTech-Unternehmen Europas mit 130 Mitarbeiter:innen und ist Top-Start-up-Arbeitgeber.

Wie digitales Lernen die Gen Z befähigt

Der Corona-Bildungs-Lockdown

Als Corona die Welt eroberte, wurde der Gesellschaft eine Sache offenbart, die sie seit Jahrzehnten mit sich rumgeschleppt hatte: Unser Bildungssystem ist veraltet. Schon vorher wusste das irgendwie jeder: Aber Corona hat es alle zum ersten Mal richtig fühlen lassen.

Auch wir als Unternehmen haben diese Bildungssituation hautnah mitbekommen. Mit simpleclub sind wir mit über 2 Millionen monatlichen Nutzer:innen die beliebteste Lernplattform in Deutschland für Schüler:innen und Azubis. Gerade im Bereich Ausbildung arbeiten die größten deutschen Unternehmen mit uns, um mehr Nachwuchskräfte an sich zu ziehen und besser zu qualifizieren. Dadurch haben wir tagtäglich mit den Lernenden zu tun. Aber auch mit Schulen, Lehrkräften, Unternehmen und Ausbilder:innen.

Wir kennen die Probleme: Ausbildung ist nicht mehr attraktiv. Sie ist nicht digital. Und es fehlen Grundlagen aus der Schule. Selbst die einfachsten Dinge wie der Dreisatz scheinen vielen Azubis nicht mehr geläufig zu sein.

Aber wir kennen nicht nur die Probleme. Wir wissen auch, wie man sie löst.

Diese Fallstudie soll beschreiben, wie wir als Bildungsanbieter Corona wahrgenommen und welche Erkenntnisse wir daraus gewonnen haben. Und sie soll noch weiter gehen: Es geht nicht nur darum, wie wir die Scherben aufsammeln, sondern auch darum, aus der Situation zu lernen, wie wir die Gen Z richtig befähigen.

Denn die Gen Z – Schüler:innen, Studierende und Azubis – ist die Generation, die durch die Corona-Politik am meisten vernachlässigt wurde. Sie waren die Leidtragenden, die mit den Folgen tagtäglich umgehen mussten.

Wir wurden mit Nachrichten überflutet

Es ist Freitag, der 13. Ausgerechnet dieser Tag im März 2020 sollte in die Geschichtsbücher eingehen. Am Tag zuvor hatte die Kultusministerkonferenz entschieden, wegen der sich immer weiter ausbreitenden Pandemie die Schulen in Deutschland zu schließen. Nicht nur ein paar. Nein: alle.

Wir konnten es zunächst nicht glauben. Und um ehrlich zu sein, haben wir es im ersten Moment auch nicht ganz ernst genommen. Aber mit der Zeit wurde uns klar, dass gerade etwas passiert, was nie eine:r für möglich gehalten hätte: Die Bildung in Deutschland war in Gefahr. Lehrkräfte, Schüler:innen und Eltern ratlos.

Also haben wir in einer Nacht-und-Nebel-Aktion ein Hilfspaket ins Leben gerufen: Für fünf Wochen sollten alle Schulen, die uns kontaktieren, kostenlosen Vollzugang für ihre Schüler:innen zu unserer Lern-App erhalten. Wir dachten, es werden sich vielleicht einige Hundert melden. Doch dann geschah das Unglaubliche: Innerhalb von einer Woche hatten wir 1,8 Millionen Zugänge im Wert von über 30 Millionen Euro kostenlos verteilt.

Die nächsten Monate sollten uns zeigen, welche Probleme durch Corona aufgedeckt wurden – nicht nur in der Schule, sondern auch in der Ausbildung. Denn eines ist keine Frage: Corona hat die Gen Z in ihrer Schul- sowie Aus- und Weiterbildung maßgeblich geprägt.

Fehlende Digitalisierung und Lernlücken

Gespräche mit Ausbildungsbetrieben aller Branchen, sei es im Einzelhandel, Handwerk oder in gewerblich-technischen Berufen, beschreiben seit Jahren die gleichen Probleme: Die Ausbildung hat einen immer schlechteren Ruf und verliert an Attraktivität. Jede:r will studieren. Dadurch haben viele Betriebe und Unternehmen große Probleme, Nachwuchskräfte zu finden.

Hier hört es aber nicht auf. Die Nachwuchskräfte, die sie finden, haben oft Schwierigkeiten bei den grundlegendsten Themen. Das beobachten wir vor allem in den Fächern Mathematik und Wirtschaft. Die von Azubis meistgenutzten Inhalte in unserer App sind Volumen, Prozentrechnung und der Dreisatz – alles Themen aus der Mittelstufe.

Durch Corona wurde dieser Effekt leider verstärkt. Nur 33 Prozent der Auszubildenden konnten mithilfe von Online-Unterricht während der Schulschließungen gemeinsam lernen. Kein Wunder, dass bereits im Januar 2021 der Deutsche Gewerkschaftsbund vor hohen Durchfallquoten aufgrund der Schulschließungen warnte. Das Resultat sind enorme finanzielle Belastungen: Nach Berechnungen des Bundesinstituts für Berufsbildung haben Unternehmen Nettokosten in Höhe von 6 826 Euro, wenn junge Leute ihre Ausbildung abbrechen.

Was ist also die Lösung? Wie können wir nicht nur Lücken füllen, sondern die Gen Z so befähigen, dass sie begeistert und motiviert lernt?

So können Unternehmen die Gen Z befähigen

Man möchte meinen, dass digitales Lernen vor allem durch Corona an Attraktivität gewonnen hat. Das stimmt allerdings nicht ganz. Denn schon seit Jahren merken wir, dass die Gen Z grundsätzlich anders lernen will, um motiviert zu sein.

Diese Generation ist mit dem Smartphone groß geworden ist. Sie hat hohe Ansprüche an die digitale Ausstattung, auch in der Schule und Ausbildung. Sie will nicht nur digital lernen, sondern auch in ihrem eigenen Tempo.

Das ergibt auch Sinn. Alle Lebensbereiche der Gen Z sind maximal digitalisiert. Für Filme gibt es Netflix, für Musik Spotify. Aber für Bildung? Das klassische Buch. Wenn man Glück hat, E-Learning-PDFs, die in einer Powerpoint durchgeklickt werden. Kein Wunder, dass keine:r Lust darauf hat.

Gleichzeitig ist die Gen Z eine Generation, der es um mehr geht als nur Gehalt. Sie sucht einen Sinn in ihrer Arbeit, will sich weiterentwickeln und wachsen. Dazu gehören genug Freiraum und die richtige Unterstützung, um auch mal Dinge zu lernen, die nicht im (veralteten) Lehrplan stehen.

Gemeinsam mit Startup Teens, einer Non-Profit-Organisation mit dem Ziel, junge Menschen durch unternehmerisches Denken und Handeln zu befähigen, haben wir diesen Bedarf hautnah miterlebt. Wir haben über 150 Lerninhalte zu Themen wie Coding, Future Skills und Unternehmertum produziert. Alles Themen, die in keinem Lehrplan der Berufsausbildung stehen.

Das Ergebnis: Die Inhalte wurden bereits über 15 Millionen Mal angeschaut. Freiwillig. Ohne Prüfungsdruck.

Konkret möchte die Gen Z mit einem Lerntool wie simpleclub arbeiten, das mit ihnen auf Augenhöhe ist. Sobald man ihnen Lernmaterialien vorlegt, die aussehen wie eine Powerpoint aus den 1990ern, ist die Lernmotivation schon bei null. Wir bei simpleclub fokussieren uns beispielsweise darauf, eine App zu bauen, die dem ähnelt, was junge Menschen tagtäglich durch Instagram und TikTok gewöhnt sind. Dadurch schaffen wir es, dass sie freiwillig mit uns lernen und sogar ihren Freund:innen davon erzählen. Als Unternehmen sollte man hier nicht versuchen, »cool« zu wirken, sondern lieber auf Tools zurückgreifen, die schon bei der Gen Z beliebt sind. Dadurch erhöht man auch die eigene Attraktivität als Arbeitgeber.

Egal, ob Corona oder nicht, am Ende sind es verschiedene Aspekte, die Unternehmen bieten müssen, um die Gen Z zu befähigen: das Umfeld, die Tools und die Inhalte. Ein Umfeld, das individuelles Lernen im eigenen Tempo ermöglicht. Digitale Tools und eine digitale Ausstattung, die Erfolgsmomente bescheren und den Nachwuchskräften zeigen, dass sie alles verstehen können. Und die Inhalte, die über den Tellerrand hinausblicken, um sich selbst zu entfalten.

Genau dann macht Lernen wieder Spaß. Genau dann findet Befähigung statt. Und genau dann werden aus unmotivierten Azubis wertvolle Nachwuchskräfte für das Unternehmen.

JENS FIEGE

Jens Fiege (47) ist verheiratet und hat vier Kinder. Er führt das bald 150 Jahre alte Familienunternehmen FIEGE seit 2014 gemeinsam mit seinem Cousin Felix Fiege in fünfter Generation. 2021 wurden beide von der INTES Akademie für Familienunternehmen als »Familienunternehmer des Jahres« ausgezeichnet.

Reverse Mentoring und unser Weg dorthin

Vincent will mehr

»Was wolltet ihr werden, als ihr 18 wart?« Diese Frage war der Einstieg in unser Early-Bird-Frühstück, das wir für unsere dualen Student:innen sowie unsere Werkstudent:innen bei FIEGE einmal pro Quartal anbieten.

Der Hintergrund: Wir möchten mit den jungen Menschen in unserem Unternehmen ins Gespräch kommen, wir möchten mit ihnen reden, nicht bloß über sie. Deswegen treffen sich regelmäßig zwei Vorstandsmitglieder mit unseren Nachwuchstalenten zum Frühstück. Da helfen die klassischen Eisbrecherfragen in der Vorstellungsrunde, wie ebenjene im Oktober 2020 nach der ursprünglich mal angepeilten Karriere. Es werden dann fleißig Tipps abgegeben, was wohl die jeweils richtige Antwort ist. Ein bisschen Rätselspaß zum Einstieg, später wird's dann ernster.

Und so spricht man miteinander. Ich erzählte damals nicht nur davon, dass ich mit 18 noch dachte, irgendwann mal Arzt zu werden, sondern auch davon, dass mein Vorstandskollege Martin Rademaker jüngst für eine Woche von einem unserer dualen Studenten begleitet worden war. Ich fände so etwas auch sehr spannend, sagte ich. Denn es ist doch so: Der früher vielleicht mal gängige Gedanke, dass nur die ältere Generation Wissen an die jüngere weitergeben kann, ist heute ungefähr noch so zeitgemäß wie Nokia-Handys. Vielmehr hat die junge Generation mittlerweile oftmals einen Wissensschatz, den die ältere Generation nicht hat oder zu dem sie keinen Zugang mehr findet.

Vincent Bibow, ebenfalls ein dualer Student bei uns, nahm den Ball damals glücklicherweise auf und fragte mich ein paar Tage später auf dem Parkplatz ganz unverdrossen, ob das Angebot noch stehe und er mir mal über die Schulter schauen dürfe. Ich sagte direkt zu – und würde es immer wieder tun. Diese Case Study soll einen Eindruck darüber geben, wie wertvoll es sein kann, sich von der Generation Z hinterfragen und Denkanstöße geben zu lassen.

Eine Woche im Herbst

Eigentlich hatten Vincent und ich uns eine Woche im Januar 2021 ausgesucht, in der er mich begleiten sollte. Durch die Corona-Pandemie wurde es letztendlich Oktober, bis es tatsächlich klappte. Eine Woche lang nahm ich Vincent, der damals dual Betriebswirtschaft an der Fachhochschule Münster studierte, heute für unser Sales-Team arbeitet und ab Herbst 2022 ein berufsbegleitendes Masterstudium der Kommunikationspsychologie absolvieren wird, mit zu all meinen Terminen. Ausgeklammert waren in dieser Zeit nur zwei Personalgespräche mit Führungskräften. Ansonsten war Vincent, 23 Jahre alt, immer dabei. Auch bei strategischen oder vertraulichen Gesprächsrunden – und abends nahmen wir uns dann die Zeit, um den Tag Revue passieren zu lassen und offene Fragen zu besprechen.

Was zählt wirklich?

Ich bin davon überzeugt, dass eine der großen Stärken der Gen Z unter anderem die ist, immer wieder all das zu hinterfragen, was meine Generation mittlerweile womöglich einfach als gegeben oder gesetzt ansieht. Die Gen Z denkt unkonventioneller, frischer und nimmt Dinge, die wir als selbstverständlich betrachten, eben nicht als Selbstverständlichkeit hin. Und genau das ist es, was für meine Generation so wertvoll sein kann. Die Fragen der Gen Z sollten uns zum Nachdenken anregen, sie sollten Denkprozesse anstoßen, und an der einen oder anderen Stelle sollten sie uns vielleicht sogar zum Überdenken unserer Prioritäten bewegen.

In der Woche, in der Vincent mich begleitet hat, haben wir meistens nur kurz über die eigentlichen Termine und Geschehnisse des Tages gesprochen. Wir sind ziemlich schnell zu allgemeineren Themen und größeren Fragen abgedriftet. Fragen, die weiter gingen, als ich es vor dieser Woche gedacht hätte. Fragen, auf die ich nicht vorbereitet war. Fragen, auf die ich zunächst vielleicht nicht einmal wirklich Lust hatte. Aber er hatte den Mut, sie zu stellen – also habe ich versucht, ihm Antworten zu geben.

Unter dem Strich haben Vincent und ich dann abends häufig in meinem Büro gestanden und uns darüber unterhalten, was eigentlich eine gute Unternehmerin oder einen guten Unternehmer auszeichnet und was sonst noch so wichtig ist im Leben. Dabei hat er mir zum Beispiel erzählt, dass er gerne viele Regeln gegen mehr Freiheiten eintauschen würde, wenn er die Chance hätte, etwas zu verändern. Oder dass er den Begriff des CVO, Chief Visionary Officer, für den Vorstandsvorsitzenden eines Familienunternehmens oft für angebrachter halte als den des CEO, Chief Executive Officer, weil es am Ende ja irgendwie immer darum gehe, eine nachhaltige und erfolgreiche Zukunft des Unternehmens zu formen.

Darüber hinaus wollte er unheimlich viel von mir wissen. Was treibt mich an, morgens aufzustehen? Was sind Fehler, die ich besser nicht gemacht hätte? Was möchte ich meinen Kindern mitgeben? Was möchte ich mit unserem Unternehmen irgendwann hinterlassen? Wie bleibt man als CEO ein guter Mensch?

Am Ende habe ich mich komplett darauf eingelassen – und im Nachgang für mich herausgefunden, dass ich wirklich froh bin, es getan zu haben.

Das nächste Level

Die Woche, in der Vincent mitgelaufen ist, war für mich rückblickend ein wichtiges Aha-Erlebnis, um ein noch besseres Gefühl dafür zu entwickeln, wie wertvoll das Thema Reverse Mentoring für uns als Familienunternehmen sein kann, wenn wir es konsequent denken. Vincent hat mir damals deutlich mehr Fragen gestellt als ich ihm. Wenn überhaupt, dann hatte unser kleines Experiment nur in Ansätzen etwas mit richtigem Reverse Mentoring zu tun. Es war eher eine zufällige Erfahrung, eine glückliche Fügung, die sich aus einem lockeren Frühstück mit Student:innen ergeben hat, weil einer von ihnen den Mut hatte, mich auf dem Parkplatz zu fragen, ob er mir vielleicht mal eine Woche bei der Arbeit zusehen dürfe.

Aus diesem Zufall entwickeln wir nun ein festes Format, das wir in einem ersten Schritt auf unseren Vorstand, im zweiten Schritt auf unsere gesamte Führungsebene und im dritten Schritt auf alle Kolleg:innen ausrollen werden, die davon profitieren können – ein Reverse Mentoring im klassischen Wortsinn. Die Logik des Projektes und auch der Auftrag an die Gen Z ist dabei klar: Gebt uns Sparring! Gebt uns Feedback! Hinterfragt uns und unsere Entscheidungen! Bringt euch und euer Wissen ein! Seid mutig! Und lasst uns über zentrale Fragen reden und diskutieren: Was sind die Entscheidungsgrundlagen eurer Generation? Was müssen wir als Unternehmen mitbringen, um für euch interessant zu sein – zum einen als Dienstleister, zum anderen als Arbeitgeber? Kurzum: Gebt uns, der älteren Generation, euer Wissen weiter. Wir können nämlich viel von euch lernen.

MARIA MÜHLENWEG

Maria Mühlenweg nutzt die Möglichkeiten in der Wirtschaft, die durch Technologie entstehen, um Probleme zu lösen. Sie entwickelte mit 17 bereits die EdTech-App Brainspark, mit der sie 2018 im Bereich Software und Big Data bei Startup Teens gewann. Nun ist sie im letzten Jahr ihres dualen Wirtschaftsinformatikstudiums bei ihrem Arbeitgeber Salesforce und baute hier besonders ihre Projektmanagement- und Salesforce-Skills aus.

Vernetzt euch heute mit den Talenten von morgen

Jede:r von uns ist Teil eines Netzwerks, ob privat oder in einem Business-Netzwerk. Warum? Weil der Austausch mit Menschen, insbesondere unterschiedlicher Generationen, sowie die Berücksichtigung verschiedener Perspektiven unheimlich wichtig sind für die persönliche Weiterentwicklung. Das gilt auch für den Erfolg und die Zukunftsfähigkeit von Unternehmen, da durch einen solchen Austausch innovative Ideen entstehen.

Das durfte ich selbst schon als Schülerin erfahren, als ich im Jahr 2018 bei der Startup Teens Challenge teilgenommen und sogar gewonnen habe. Im Zuge dessen und durch meinen Erfolg bei Startup Teens kam ich in einen intensiven und spannenden Austausch mit dem Management von Salesforce. Dieser bestätigte mir abermals, was offene Kommunikation mit diversen Peergroups bringt: So wurde der Salesforce CEO Deutschland selbst mein Mentor. Nach meinem Abitur habe ich dann mein Duales Studium bei der Firma Salesforce begonnen.

2020 habe ich meine Praxisphase im Talent Ecosystem Team gemacht, das organisatorisch unter dem Business-Operations-Bereich aufgehängt ist. Eine aktuelle Salesforce-Marktstudie von IDC besagt, dass bis zum Jahr 2026 232 600 neue Jobs im Salesforce Ecosystem, das heißt bei Salesforce selbst, unseren Partner:innen und Kund:innen, geschaffen werden. Doch um diese Jobs zu besetzen, werden mehr Talente benötigt, als es aktuell auf dem Arbeitsmarkt gibt. Das Talent Ecosystem Team beschäftigt sich mit dem Aufbau von Programmen und Initiativen, um genau diese Talentlücke zu schließen und mehr diverse Talente für das Salesforce Ecosystem zu gewinnen.

Zu Beginn meiner Praxisphase in diesem Team kam mir die Idee, selbst ein neues Programm aus der Taufe zu heben, die Student:innen-Community-TEC (Talent Ecosystem Campus). Heute besteht TEC aus

500 Mitgliedern, zusammengesetzt aus Studierenden, Professionals, Professor:innen, Partner:innen, Kund:innen und Interessierten. Diese Diversität birgt sehr viel Potenzial für einen Austausch und gegenseitige Unterstützung und bietet die Möglichkeit, Talente und Unternehmen zu vernetzen. Warum und wie wir bei Salesforce mit dieser Idee Talente finden, zusammenbringen und gleichzeitig Innovationen fördern, ist Teil dieser Fallstudie.

Inspiration und Innovationsreichtum durch Altersdiversität

Inspiriert durch Start Munich, eine Start-up Community, in der sich junge Talente austauschen, unterstützen und inspirieren, ist die Idee für TEC geboren. Die Grundidee war es, eine solche Community deutschlandweit über Slack für das Salesforce Ökosystem zu entwickeln. Das Ziel bis heute ist, die Mitarbeiter:innen, Kund:innen und Partner:innen von Salesforce mit Talenten zu vernetzen und einen Austausch zu schaffen. Es erschien mir aus zwei Gründen hochrelevant, einen Ort für den direkten Kontakt zwischen Talenten und Expert:innen, Mitarbeiter:innen und Partner:innen aufzubauen.

Der erste Grund ist, dass der Austausch mit erfahrenen Personen die Studierenden bei der Orientierung unterstützt. Da ich selbst noch studiere, konnte ich diese Herausforderung vieler Studierenden gut verstehen. Während der Projektphase habe ich Interviews mit Studierenden über ihre Herausforderungen beim Berufseinstieg geführt. Diese haben gezeigt, dass vielen die Orientierung und Unterstützung fehlt. Diese Orientierung möchten wir ihnen im Talent Ecosystem Campus bieten. Hier können sie sich über Jobs und Kompetenzen austauschen, Fragen stellen und lernen, wie und wo sie sich am besten die von Unternehmen nachgefragten Digital Skills aneignen können. Als Vorbereitung für den Einstieg im Salesforce Ökosystem können sie auf kostenfreie Salesforce Trainings, Coachings, Mentoring und Community Events zugreifen. Der zweite Grund ist, dass der direkte Austausch auch Ideenreichtum und Innovation für die Unternehmen fördert. Für Unternehmen ist eine der größten Herausforderungen unserer Zeit, qualifizierte Talente zu gewinnen, die sie dabei unterstützen, mit der Digitalisierung Schritt zu halten und zukunftssicher umzugehen. Ein generationenübergreifender Austausch birgt großes Potenzial, die Erwartungen der Talente zu verstehen und so besser adressieren zu können. Durch diverse Sichtweisen auf ein Thema können auch spannende neue Ideen entstehen. Ein Beispiel dafür ist mein TEC Programm, das ich als Studentin bei Salesforce mit aufgebaut habe. Digital Natives haben eine ganz andere Perspektive, als sie etwa Babyboomer auf Themen haben. Gegenseitig bereichern sie sich durch ihre Ansichten, wodurch tolle neue, innovative Ideen entstehen. Am Ende können beide Seiten voneinander lernen und sich gegenseitig inspirieren.

Echte Intrapreneur:innen suchen passende Lösungen für Probleme

Folgende Punkte möchte ich aus meiner Erfahrung im Aufbau von TEC und dem bereichernden Austausch zwischen Personen von Jung bis Alt, vom Studierenden bis zum CEO, besonders herausstellen:

Reverse Mentoring Aus meiner eigenen Erfahrung kann ich sagen, dass Reverse Mentoring eine sehr wichtige und wertvolle Möglichkeit ist, gegenseitig voneinander zu lernen. Mir fehlt noch Erfahrung und Wissen, dafür hilft mir ein:e Mentor:in beim Treffen von Entscheidungen. Im Gegenzug bekommt der/die Mentor:in ein Gefühl dafür, wie die Talente von morgen denken und worauf sie Wert legen. Gerade die Generation Z geht sehr intuitiv mit Technologie, Social Media und Co. um und kann Unternehmen durch ihr Wissen neue Perspektiven eröffnen.

Community Merkmale einer erfolgreichen Community sind gemeinsame Interessen und verschiedene Erfahrungen und Sichtweisen. Wie zum Beispiel ein Macher- oder Intrapreneurship-Mindset, Interesse am Salesforce Ökosystem und Wunsch nach Potenzialentfaltung. Eine Community lebt vom regelmäßigen Austausch durch Events, Networking und Kollaboration. Der Aufbau vertrauensvoller Beziehungen untereinander wird durch den Glauben an eine gemeinsame Sache gefördert.

Dabei braucht eine Community Aufmerksamkeit und kontinuierliche Weiterentwicklung.

Mindset Ideenfindung startet mit einem Problem. Am Anfang ist es wichtig, ein tiefes Verständnis für das Problem zu entwickeln. Danach braucht es Mut, um unterschiedliche Lösungen auszuprobieren, bis eine klappt. Das Schlimmste, was passieren kann, ist, dass es nicht funktioniert und ein Learning daraus entsteht. Konkret habe ich damals erkannt, dass es nicht genug Talente im Salesforce Ökosystem gibt, und dafür einen Lösungsansatz in Form der Studierenden-Community-TEC aufgebaut. Dabei habe ich mich wie eine junge Unternehmerin im Unternehmen gefühlt.

Seid offen zueinander!

Rückblickend würde ich sagen, dass die Kombination aus Mentoring und meinem eigenen Projekt meine persönliche Weiterentwicklung sehr gefördert haben. Ich habe extrem schnell gelernt, wie man von der Idee zur Umsetzung kommt, wie man Ideen in einem Unternehmen, wie Salesforce, vorträgt und Leute dafür begeistert.

Außerdem ist es für mich persönlich sowie für Salesforce ein Erfolg, dass ich schon als Studentin meine Ideen so intensiv einbringen und umsetzen durfte. Salesforce hat erkannt, dass Intrapreneurship-Denken nicht vom Level der Berufserfahrung abhängt und nicht erst als Senior beginnt. Vielmehr wird dieses Denken durch die Kombination aus eigenverantwortlichen Projekten wie meinem und einem regelmäßigen Austausch mit Mentor:innen gefördert.

Deshalb ist eines meiner wichtigsten Erkenntnisse aus dieser Zeit: Seid offen zueinander! Was den jüngeren Generationen an Erfahrung fehlt, machen sie durch Kreativität und Ambition wider wett.

Während der Projektphase haben mich der Austausch mit hilfsbereiten Manager:innen, aber auch die Interviews mit Studierenden weitergebracht. Ich habe von beiden gleichermaßen gelernt. Daher lautet meine Empfehlung: Vertraut einander und redet miteinander! Die nächste innovative Idee könnte direkt vor euch liegen.

JANINA MÜTZE

Janina Mütze (Jahrgang 1990) ist Mitgründerin und Geschäftsführerin von Civey. Sie ist außerdem Mitglied der Aufsichtsräte im Fintech Comeco sowie der Veganz Group AG. Sie engagiert sich besonders für die Themen Gründung und Diversität. So ist sie Mitglied im Beirat für Gründungen an der Hochschule für Technik und Wirtschaft in Berlin und Board Member des Innovationslabs Futury, einer Tochter der Werte-Stiftung.

Purpose ist für die Generation Z mehr als nur ein Schlagwort

Karriere war gestern. Zumindest für die Generation Z ist ein »Schneller, höher, weiter« nicht mehr der alleinige Fokus im Berufsleben. Ebenso wichtig ist für sie im Job: Die Entfaltung der eigenen persönlichen Interessen und einen Mehrwert für die Gesellschaft zu schaffen. Das zeigen unsere Civey-Daten. 52 Prozent der 16- bis 29-Jährigen geben an, dass sie ihre Studien- oder Ausbildungswahl nach persönlichen Interessen getroffen haben. Aber nur 16 Prozent treffen die Wahl unter Karrieregesichtspunkten. Dieser Trend setzt sich auch im Berufsleben fort. Bei der Wahl des/der Arbeitgebers/Arbeitgeberin geben sie neben dem Gehalt (64 Prozent) vor allem die Work-Life-Balance (49 Prozent) als wichtigsten Aspekt bei der Suche eines/einer Arbeitgebers/Arbeitgeberin an. Die Karrierechancen (30 Prozent) liegen noch hinter der Sinnhaftigkeit (34 Prozent) des potenziellen Berufs und sind bei der Jobauswahl nicht das wichtigste Kriterium.

Das zeigt: Ich als Arbeitgeberin muss jungen Talenten deutlich mehr bieten als nur die üblichen Aufstiegschancen. In meinen Unternehmen ist der gesellschaftliche Purpose bereits im Geschäftsmodell verankert. Uns ist es als digitales Markt- und Meinungsforschungsunternehmen wichtig, Zugang zu Informationen zu ermöglichen. Ich habe mein Unternehmen gegründet, um politische Debatten oder wirtschaftliche Entscheidungen faktenbasierter zu gestalten. In Zeiten von Fake News hat dieser Anspruch eine hohe gesellschaftliche Relevanz. Aber auch in der Privatwirtschaft ist es zunehmend von Bedeutung, die relevanten Stakeholder-Gruppen einzubinden. Hier können unsere Daten helfen, die Ansichten der Zielgruppen zu verstehen und so bessere Entscheidungen zu treffen. In Bewerbungsgesprächen merke ich immer wieder, dass der Ansatz von meinem Unternehmen für viele ein wichtiger Faktor ist, um uns als Arbeitgeberin in Betracht zu ziehen.

Doch das allein reicht nicht aus, um junge Talente für mein Unternehmen zu gewinnen und vor allem zu halten. Auch die Art des Arbeitens habe ich den neuen Ansprüchen der Gen Z angepasst. Ein Zurück in die starre Büropräsenz, wie es in manchen Unternehmen vor der Pandemie der Fall war, wird es bei mir nicht mehr geben. Denn für diejenigen, die bereits ins Berufsleben eingestiegen sind, ist in Zeiten von Corona Homeoffice oft die Regel gewesen. Die Studierenden kennen ihre Dozent:innen eher vom Bildschirm als aus den Hörsälen ihrer Universität. Auch wenn viele sich nach persönlichem Austausch sehnen, möchten sie die Möglichkeit des mobilen Arbeitens nicht mehr missen.

Das versuche ich als Chefin zu berücksichtigen und ermögliche meinen Mitarbeitenden daher große Freiheiten bei Arbeitszeit und -ort, um eine möglichst hohe Vereinbarkeit zwischen Privatleben und Beruf zu erreichen. Grundsätzlich schreibe ich auch jede offene Stelle in Teilzeit aus, auch auf der Führungsebene. In Gesprächen mit jungen Bewerbenden wird mir das oft als positiver Aspekt genannt. Neben der Arbeitszeit versuche ich beim Arbeitsort ebenfalls größtmögliche Freiheit zu bieten – unabhängig von der Corona-Pandemie. Meine Mitarbeitenden können an den meisten Tagen dort arbeiten, wo sie möchten. Und das muss nicht der eigene Küchentisch sein. Ob Arbeiten am Urlaubsort – ohne dafür Urlaubstage verwenden zu müssen – oder bei der eigenen Familie in der alten Heimat. Bei mir ist das möglich, und es wird auch oft genutzt. Eine Mitarbeiterin arbeitet und lebt beispielsweise in Spanien. Sie ist nur einmal im Monat bei uns in Berlin.

Zudem ist es mir wichtig, klare Grenzen bei der Erreichbarkeit zu setzen, damit sich Privatleben und Beruf nicht durchmischen, sondern trotz der großen Flexibilität klar getrennt bleiben. Denn auch das zeigen unsere Daten und auch meine eigene Erfahrung als Unternehmerin: Gerade für die Generation Z spielen klare Strukturen im beruflichen Alltag eine wichtige Rolle. Flexible Arbeitszeiten dürfen nicht dazu führen, dass jede:r immer erreichbar ist. In meinem Unternehmen gibt es deswegen eine klare Arbeitszeiterfassung. Das klingt altmodisch, hilft aber, Arbeitszeiten tatsächlich dann zu tracken, wenn sie anfallen. So können in meinem Unternehmen die Arbeitszeiten individuell vereinbart werden, und niemand muss das Gefühl haben, permanent zu arbeiten, um »sichtbar« für Kolleg:innen zu sein.

Einen weiteren Punkt gilt es noch zu erwähnen, der mir sehr wichtig ist: eine transparente und offene Unternehmenskultur. Für mich sind dafür sogenannte »Ask me anything«-Breakfasts ein wichtiger Baustein, um meinem Team eine große Transparenz zu bieten. In dem Format beantworte ich mit meinem Mitgründer im Rahmen eines gemeinsamen (hybriden) Frühstücks alle Fragen, die vorab anonym von der Belegschaft eingereicht wurden. Die Fragen reichen bei uns von ergonomischen Stühlen bis hin zu komplizierten Strategie- und Finanzthemen.

Manche Fragen bringen mich gehörig ins Schwitzen. Nicht alles kann ich immer bis ins letzte Detail beantworten. Aber ich merke: Je mehr Informationsfluss und Authentizität ich biete, desto mehr honoriert es mein Team. Das ist oft das persönliche Feedback, das ich im Nachgang erhalte. Aber ich messe es auch quantitativ durch Feedbacktools, in denen Mitarbeitende regelmäßig anonym ihre Stimmungen spiegeln. Natürlich sind für mich auch weiterhin klassische Gesprächsformate unter vier Augen ebenso wichtig. Denn Jour fixes ermöglichen den Raum für beidseitiges Feedback, was aus meiner Sicht zu einer offenen Unternehmenskultur beiträgt. Auch ich muss mich hier dem Feedback stellen, das nicht immer positiv ausfällt.

Fest steht für mich: Es zahlt sich aus, dass ich diese Strukturen in meiner Firma geschaffen habe – auch wenn sie meine Ressourcen und Zeit binden. Denn nicht nur die Generation Z wird unsere Arbeitskultur langfristig prägen. Auch diejenigen, die danach kommen und mit dem Handy am Kinderwagen groß wurden, werden neue Forderungen stellen. Die permanente Transformation ist eine Challenge für mich und mein Unternehmen. Ich packe sie aber sehr gerne an!

MALI M. BAUM

Mali M. Baum ist CEO & Gründerin von WLOUNGE sowie der MAGDA GROUP. WLOUNGE ist eine der größten und einflussreichsten Tech-Netzwerke in Deutschland. Die preisgekrönte Serienunternehmerin und Business Angel hat 20 Jahre Erfahrung im Aufbauen sowie Begleiten von Start-ups. Seit 2020 ist Mali Beraterin und Jurymitglied beim EU Innovation Council und eine Botschafterin der Berliner Senatsverwaltung für Wirtschaft, Energie und Betriebe.

Das Geheimnis von Innovation und maximaler Potenzialentfaltung heißt Diversität

In Deutschland erleben wir im internationalen Vergleich seit Jahrzehnten einen gewissen Stillstand in Sachen Innovation. Potenziale wurden und werden nicht oder zu wenig ausgeschöpft. Selbst in Europa setzt sich dieser Trend fort. Ganz anders als in Asien, in den USA oder in Israel. Dabei haben wir mit der Gen Z eine Generation am Start, die die natürlichen Fähigkeiten mitbringt, um genau diesen Status aufzubrechen. Durch ihren intuitiven Umgang mit Diversität, bessere Verbindungen mit der globalen Welt und Deutschlands großartige Bildung hat diese junge Generation die besten Voraussetzungen für disruptive Innovationen. Voraussetzungen, um in Deutschland das soziale und wirtschaftliche Potenzial voll auszuschöpfen. Die Gen Z vertritt Werte wie Leidenschaft, Mut oder Offenheit und Kompetenzen, die unsere Zukunft braucht.

Wie der Durchbruch zu disruptiver Innovation und voller Potenzialentfaltung somit gelingen kann und warum es in der Verantwortung der Generation × liegt, die Digital Natives dabei zu unterstützen, darum geht es in diesem Beitrag.

Als Mutter von zwei Kindern aus der Gen Z sehe ich, wie sie sich auf natürliche Weise an weibliche Führung anpassen. Sie haben eine Stimme und setzen sich schnell für Kryptowährungen, Alternativen für mehr Gerechtigkeit, nachhaltiges Leben oder Kapital ein. Dinge, die wir in der Generation davor kaum gesehen haben. Mehr Selfmade, mehr Offenheit, mehr Chancen. Das gilt für Mädchen und Jungen, für Männer und Frauen. Wir müssen uns ihrer unterschiedlichen Herangehensweise, ihrer Bedürfnisse und ihrer Leidenschaft bewusst sein. Es liegt in unserer Verantwortung, ihre Bedürfnisse an unser bestehendes System und unsere Kultur anzupassen, damit es nicht zu dem Brain-Drain-Effekt kommt, den wir in Europa beobachten.

Mindset zählt! Mein Motto: Mach aus einer Wüste einen Blue Ocean

Nachdem ich globale Unternehmen aufgebaut und an Plätzen wie Silicon Valley, New York, China oder Tel Aviv gearbeitet hatte, kam ich vor acht Jahren nach Deutschland. Hier traf ich auf eine Innovationswüste, und es gab so gut wie keine Frauen, die Innovationen vorantrieben. Nicht genug Frauen auf C-Level oder in der Politik. Keine Gründerinnen oder Investorinnen für Zukunftsprojekte.

Da ich Probleme als Chancen interpretiere, habe ich in der Situation einen Blue Ocean gesehen. Basierend auf meinen Erfahrungen sah ich darin eine Möglichkeit, der Gesellschaft etwas zurückgeben zu dürfen. Damit war schnell klar, dass wir ein Unternehmen brauchen, das diese Probleme angeht – die heutige WLOUNGE war geboren. Dahinter stehen unterschiedliche Personen, von Gründer:innen, Unternehmer:innen, Botschafter:innen bis zu Politiker:innen. Sie alle verbindet ein gemeinsames Verständnis darüber, dass Deutschland die Gen Z verlieren wird, wenn wir uns nicht branchen- und funktionsübergreifend divers aufstellen. Schnell.

Das Besondere ist in dem Fall, dass wir als Ökosystem-Netzwerk agieren, das neben der Gen Z aus C-Levels, Politiker:innen, Mitarbeiter:innen aus Mittelstandsunternehmen bis hin zu Konzernen besteht. Dabei konzentrieren wir uns auf Potenzialfelder wie Diversität, Frauen in Führung sowie Gründerinnen oder Investorinnen – allerdings immer in direkter Zusammenarbeit mit Männern, die ganz nebenbei unsere größten Unterstützer sind.

Wie gehen wir das konkret an?

- Wir fördern ein Mindset, in dem es selbstverständlich ist, Gründer:innen zu unterstützen und als Inverstor:in nicht nur Geld zu geben, sondern vor allem Wissen zu vermitteln, Zugang zu Kontakten, Kompetenzen und Unterstützung jeder Art.
- Wir sprechen mit Unternehmen wie Siemens, Porsche und Deutsche Telekom über Diversität als Treiber für Innovationen.
- Wir klären auf, dass die Gen Z als eine Bewegung unserer Zeit nur in Unternehmen arbeiten wird, deren Unternehmenskultur ihren eigenen Werten entspricht

Natürliche Eigenschaften und Erfolgsfaktoren der Gen Z: Diversität, Digitalisierung und Nachhaltigkeit

Vor acht Jahren sprachen wir schon davon – damals noch mit den Millennials, heute mit der Gen Z – dass jede Frau jede Rolle ausfüllen kann. Angefangen bei der Mentorin, über die Innovatorin, der Gründerin bis hin zur Investorin. Tatsächlich fokussieren wir uns bei WLOUNGE auf Frauen. Doch sind die Männer aller Level bei allen Aktivitäten genauso gefragt und involviert, denn gerade die gegenseitige Bereicherung und Ergänzung – ganz im Sinne von Diversität – führt zu maximaler Potenzialentfaltung. Als Beispiel, wo wir noch stehen, fungieren Venture Capital Companies (VC) sehr gut. Es gibt zwar weiblich geführte VCs, wenn auch zu wenig. Denn die Realität zeigt, dass Männer – und das sind die Mehrzahl an Investoren – immer noch vorrangig in männlich geführte Firmen investieren.

Was die Gen Z auszeichnet, ist, dass sie Diversität, aber auch Digitalisierung oder Nachhaltigkeit heutzutage völlig natürlich und unvoreingenommen annimmt und in ihrem täglichen Handeln einsetzt. Zudem definieren die jungen Nachwuchstalente Motivatoren wie Geld, Reichtum oder Zufriedenheit für sich neu und lassen sich zu guter Letzt von ihren Werten intuitiv leiten. Das ist familiär oftmals eine Herausforderung, kann jedoch durch Ökosystem-Netzwerke und Communities, wie zum Beispiel die WLOUNGE sehr gut kompensiert werden.

Der Bogen lässt sich leicht in die Arbeitswelt spannen, denn Diversität geht alle Unternehmen in Deutschland etwas an. Das wird die nächsten 100 Jahre so bleiben, alle anderen werden es nicht überleben. Dazu zählt auch, der Umgang mit Talenten. Wie ließe sich sonst erklären, dass wir in Deutschland insbesondere im technischen, innovativen Umfeld so viele Talente aus anderen Ländern einstellen?

Das heißt: Obwohl wir Elite-Universitäten und exzellente Ausbildungen in Deutschland haben, befähigen die Bildungseinrichtungen offenbar nicht ausreichend in puncto Freiheit, Mindset, Design Thinking oder weiteren Grundvoraussetzungen für künftige Entrepreneur:innen. Das setzt sich in Unternehmen fort. Zu wenige Firmen bilden ihre Mitarbeitenden fort in Sachen Führungsqualitäten, Intrapreneurship et cetera. Das ist beispielsweise ein Bereich, den wir durch das Lehren der zwölf Leadership Skills »WDL« bei der WLOUNGE intensiv unterstützen. Denn Dinge wie Mindset, eine starke Stimme, kein Ego, emotionale Intelligenz oder Walk the talk sind die Zukunftskompetenzen für erfolgreiche, insbesondere innovative Unternehmer:innen und Mitarbeiter:innen.

Walk the talk oder das Wissen der Gen Z wandert an andere Orte

Vor einigen Jahren war ich noch zu höflich, ein Problem direkt zu adressieren. Ich wollte niemandem zu nahe treten. Erst seit ich mich auf meine eigenen Werte besinnt habe und diesen konsequent folge, kann ich hier anders agieren. Heute arbeite ich nur mit Personen und Unternehmen zusammen, die zu meiner Wertevorstellung passen. Wenn zum Beispiel Diversität für jemanden keine Rolle spielt, dann passt der- oder diejenige nicht zu unserem Ökosystem-Netzwerk, und das ist okay, aber eben zugleich ein Ausschlusskriterium für eine Zusammenarbeit. So ist es für jeden Menschen, der sein volles Potenzial entfalten möchte, enorm wichtig, das richtige Netzwerk und das richtige Umfeld um sich zu haben. Und keine Personen, die sagen, das kannst du nicht.

Walk the talk ist ein weiteres zentrales Verhalten, dass es zu leben gilt. Frauen machen 51 Prozent unserer Gesellschaft und damit der Wirtschaft aus. Daher ist es wichtig, dass wir unseren Töchtern und allen Frauen mitgeben, dass sie ihre Träume leben sollen. Die Power ist da. Jede kann für sich entscheiden, ob sie auf C-Level, Mutter und Führungskraft in Teilzeit oder Innovatorin in einem diversen Team sein möchte. Es kommt nur darauf an, sich bewusst zu entscheiden.

Kurzum: Kultur und Mindset müssen sich in unserer Gesellschaft zeitnah ändern – schon früh, sprich in Schulen und Universitäten, aber auch in den Unternehmen. Dabei braucht es die Unterstützung der älteren Generationen, denn wir stehen in der Verantwortung, unser Wissen, unsere Erkenntnisse aus Fehlern und Know-how weiterzugeben, zusammen mit dem Kapital, das die Prozesse beschleunigt. Andernfalls geht die Gen Z und mit ihnen das Wissen der Zukunft an andere Orte. Memo an alle: dream big!

GÜLSAH WILKE

Gülsah Wilke ist Mitglied des Führungsteams von Ada Health, einem global führenden Digital Health Unternehmen mit mehr als 11 Millionen Nutzern in 150 Ländern, welches 2018 mit dem Hottest Health Startup Award ausgezeichnet wurde. Zuvor war sie als Investor und Head of Operations, Pricing and Portfolio bei Axel Springer tätig. Wilke setzt sich leidenschaftlich für die Förderung vielfältiger Teams und den Aufbau von Führungspositionen im Technologiebereich ein und nutzt ihre Erfahrung, Expertise und ihr Netzwerk als Mitbegründerin der 2hearts Tech Community, um Talente mit Migrationshintergrund im Tech-Ökosystem zu fördern.

Junge Talente mit Migrationshintergrund sind ein wichtiger Erfolgsfaktor für Unternehmen

30 Prozent der Gen Z haben einen Migrationshintergrund

Laut des DJI-Kinder- und Jugendmigrationsreports 2020 leben in Deutschland rund 6,7 Millionen junge Menschen unter 25 Jahren mit Migrationshintergrund. Sie sind zweisprachig und mit zwei Kulturen aufgewachsen. Kinder und Jugendliche mit Migrationshintergrund bringen daher zwei – je nachdem aus welchen Ländern und Kulturen sie abstammen – mitunter sehr unterschiedliche Perspektiven auf die Welt mit, sie sind offen fürs »Anderssein« und haben in der Regel einen erweiterten Horizont für viele gesellschaftliche und politische Themen.

Unternehmen können von diesen jungen Menschen profitieren, denn sie bieten den Blick über den Tellerrand, der es Unternehmen ermöglicht, Kunden und Partner aus unterschiedlichen Ländern und Kulturen besser zu verstehen, ihre Perspektiven nachzuvollziehen, offen für Feedback zu sein und ihre Bedürfnisse adressieren zu können. In unserer globalisierten Welt bauen Unternehmen Produkte, die in der ganzen Welt genutzt werden. Je diverser also ihre Teams sind, desto besser und innovativer können sie auch die Bedürfnisse von Kunden in anderen Ländern und Kulturen in die Produktentwicklung einbeziehen.

Leider kommen junge Menschen mit Migrationshintergrund überdurchschnittlich oft aus sozial schwierigen Verhältnissen und sind bezüglich Bildung unterprivilegiert. Das erschwert ihnen den Weg in die Wirtschaft, denn der Fokus vieler Unternehmen liegt auch heute noch auf Zertifikaten und Abschlüssen. Wer kein Abitur und Studium vorweisen kann, scheidet oft per se schon aus.

Wenn Migrantenkinder es doch schaffen, zu studieren und ihren Weg zu gehen, legen sie eine außerordentliche Resilienz und Willen an den Tag, der für Unternehmen eine der wichtigsten Voraussetzungen für Erfolg ist. Der Wille, nicht aufzugeben, das Bestehende zu hinterfragen und Hindernisse als Motivation zu sehen, zeichnet viele von ihnen aus. Und das macht sie zu wertvollen Mitarbeiter:innen. Das schöpfen Unternehmen noch viel zu wenig aus. Zum Nachteil beider Seiten.

Diese Fallstudie zeigt, warum junge Menschen mit Migrationshintergrund ein wichtiger Erfolgsfaktor für Unternehmen sind und warum und wie Unternehmen genau diese jungen Menschen gezielt fördern können und sollten.

Wenn eine einzige Erfahrung dein Leben verändert

Als junges Mädchen mit Migrationshintergrund habe ich viele Herausforderungen überwinden müssen. Ein Schlüsselsatz einer Lehrerin ist mir dabei bis heute nachhaltig im Gedächtnis geblieben. Auf eine Frage im Unterricht war ich die Einzige, die die korrekte Antwort parat hatte. Dies veranlasste meine damalige Lehrerin zu folgendem Satz: »Schaut mal, sogar Gülsah, unsere Türkin, weiß die Antwort auf diese Frage.«

Eine Empfehlung für die Hauptschule war das, was ich in der Grundschule bekam. Nur aufgrund des Durchsetzungsvermögens meiner Mutter ging ich doch aufs Gymnasium. Und das war offensichtlich genau richtig für mich: Ich übersprang eine Klasse und schloss als Beste meines Jahrgangs in ganz Nordrhein-Westfalen das Abitur ab.

Der einschneidendste Moment meines bisherigen beruflichen Lebens war allerdings ein anderer. Ich wollte studieren, und zwar nicht irgendwo, sondern an der EBS, der European Business School. Eine Privatuni. Meine Chancen? Ich schaffte das Assessment Center ohne Probleme, hatte aber nicht genug Geld, um die Studiengebühren und meinen Lebensunterhalt zu verdienen. Zwar hatte ich bewusst nach der Schule ein Jahr gearbeitet und Geld gespart, das reichte aber nicht. Meine Eltern hätten es nicht bezahlen können. Ich wollte aber die bestmögliche Ausbildung, denn ich wusste, sie würde mir Türen öffnen. Also bewarb ich mich für einen Kredit bei der Bank, der mir zugesagt wurde. Mit 19 Jahren wohlgemerkt.

Was dann geschah, war ein Schlüsselmoment in meinem Leben: Ich bekam ein volles Stipendium von Vodafone, die genau in dem Jahr ein Stipendium für Schüler:innen mit Migrationshintergrund ins Leben gerufen und mich an der EBS beim Assessment Center entdeckt hatten. Vodafone hat mit seinem Programm, das es heute leider nicht mehr gibt, meinen Werdegang maßgeblich geprägt. Das müssen wir mehr Menschen ermöglichen. Der Vorteil für die Jugendlichen liegt klar auf der Hand. Der Vorteil für Unternehmen? Sie bekommen direkten Zugriff auf die Top-Talente von morgen.

Mission: Aufbau der Tech-Gesellschaft von morgen mit kultureller Vielfalt

Bildung und Mentoring sind der Schlüssel, um jungen Menschen mit Migrationshintergrund bessere berufliche Chancen zu ermöglichen. Das Netzwerk 2Hearts verfolgt genau diesen Gedanken, denn in jedem Menschen mit Migrationshintergrund schlagen mindestens zwei Herzen, für je zwei Nationen, zwei Sprachen, zwei Kulturen. Was als kleines lokales Berliner Netzwerk beginnt, ist heute schon die größte deutsche Tech-Community, die neben Mentoring vor allem auch gegenseitige Unterstützung bietet.

Mit seinem Mentoring-Programm bietet 2Hearts jungen Menschen mit Migrationshintergrund aus benachteiligten sozialen Schichten die Möglichkeit, sich mit erfahrenen und erfolgreichen Menschen aus der Tech-Branche auszutauschen, von ihnen zu lernen und sich von ihnen auch Türen öffnen zu lassen, die ihnen sonst verschlossen blieben. Das Ziel von 2Hearts ist es, Perspektiven zu geben und Möglichkeiten nicht nur aufzuzeigen, sondern auch dabei zu unterstützen, dass Menschen mit Migrationshintergrund ihren Weg gehen können.

Der Erfolg baut darauf auf, dass wir ein Netzwerk aus Gleichgesinnten schaffen, mit Rat und Kontakten zur Seite stehen und genau die Role Models haben, die jüngere Menschen mit Migrationshintergrund brauchen.

Wir selbst sind die Role Models, und das wird mir immer wieder sehr bewusst, wenn ich meine Mentee Farisa treffe. Sie ist wie eine jüngere Version von mir selbst, und ich bin sehr stolz auf ihren bisherigen Werdegang.

»Be the Person you needed, when you were younger« – das treibt mich und uns mit 2hearts an. Mit der wachsenden Unterstützung von Unternehmen können wir mehr und mehr Jugendlichen Türen öffnen, so dass sie ihren Weg gehen und mit ihren Talenten die Unternehmen bereichern und Innovation fördern können. Mitarbeiter:innen mit Migrationshintergrund können im Unternehmen Schlüsselpositionen übernehmen. Als Role Model für ihre Talente dienen sie innerhalb des Unternehmens der Mitarbeiterentwicklung und können zudem auch außerhalb des Unternehmens fungieren (Recruiting/Employer Branding).

Ein bewährtes Prinzip, um die Mitarbeiter:innen mit Migrationshintergrund in herrschende Strukturen zu integrieren, ist es, den jungen Menschen eine/n bereits erfahrene/n Mitarbeiter:in, der ebenfalls über einen Migrationshintergrund verfügt und somit als Gleichgesinnter wahrgenommen wird, zur Seite zu stellen.

Jedes Unternehmen kann junge Menschen mit Migrationshintergrund fördern und unterstützen: entweder finanziell über ein Stipendium, über bereits im Unternehmen integrierte Role Models oder auch ideell. Für Unternehmen zahlt sich das auf jeden Fall aus.

Frage 3

Wie erreiche ich die Gen Z als Zielgruppe? (Marketing)

TOAN NGUYEN

Toan Nguyen ist Partner bei Jung von Matt, Gründer von Jung von Matt NERD und Co-Founder von Eintracht Spandau. Er ist Experte für Gaming, Entertainment, Fandom- und neue Popkultur. Er hat diverse Bluechips wie Mercedes-Benz, BMW, McDonald's und Pringles in den Eintritt in die Gaming- und neue digitale Popkultur begleitet. Er wurde zweimal als »Top 40 unter 40« im *Capital Magazin* ausgezeichnet, war unter den »Top 100« der *W&V* und »Top 100 Designer, Denker und Disrupter« bei der *Textilwirtschaft*. Nguyen hat in Maastricht, Singapur und Rotterdam studiert. Er ist Dozent und Autor diverser Studien, Fachpublikationen und Bücher und war bereits Juror von zahlreichen Awards wie den Cannes Lions.

Fans care about brands who care about them. Wie Marken Geek, Nerd & Fandom Communities begeistern

Die neue Popkultur einer neuen Generation

Billie Eilish als japanische Actionfigur. Travis Scott als Space-Riese im Videospiel Fortnite. Snoop Dogg als Pixelfigur im Metaverse. Und Ye (ehemals Kayne West) zitiert in seinem Pre-Listening-Konzert den japanischen Anime-Cartoon Akira. Gleichzeitig brechen Superhelden- und Science-Fiction-Filme Rekorde an den Kinokassen, während die Videospielindustrie ganz heimlich zur unangefochtenen Nummer eins der Unterhaltungsbranche avanciert. NFTs, Kryptowährungen und Blockchain dominierten die Google-Trends im Jahr 2021, da eine Firma wie Nike weder Interesse an der Akquisition von Lululemon oder Peloton hatte, dafür aber bei einer Metaverse-Company namens RTFTK zugegriffen hat, die Avatare im süßen japanischen Anime Look programmiert.

Nerds sind die neuen Rockstars, aber das war nicht immer so

Dass die einflussreichsten Prominenten unserer Zeit diese Genres zitieren, ist das eine. Spannend sind aber auch die Zahlen dahinter: Gaming, E-Sports, Fantasy, Science-Fiction, Anime, Superhelden und Kawaii (was für ostasiatische Niedlichkeitskultur steht) machen mittlerweile einen 250-Milliarden-US-Dollar-Markt aus. Im Vergleich: Fußball, der vermeintliche König aller Sportarten, kommt auf maximal 45 Milliarden US-Dollar. Das ist insofern lustig, da wir noch ein anderes Bild von früher vor Augen haben. Jeder amerikanische High-School-Film erzählt im Kern die gleiche Geschichte: der coole Quarterback, seine selbstbewussten Freunde und die schönen Cheerleaderinnen. Im Hintergrund die Computerfreaks, die Sammelkarten tauschen. Wenn man Glück hatte, wurden diese Geeks als liebenswert porträtiert und waren der Sidekick des Protagonisten. Was sie aber nie waren, ist eines: cool.

Elon, Gates, Bezos und Zucki: alle schlau, digital und reich

Ein wesentlicher Beitrag zu der veränderten Wahrnehmung von Nerds hat einen ganz banalen Grund: Die meisten Nerds sind schlau und mögen Computer. Wer sich das Jahr 2022 anguckt und schaut, wer heute so richtig reich ist, wird feststellen, dass das Nerd-Sein keine schlechte Voraussetzung ist. Dazu kommt ein anderer Aspekt: Viele der Genres aus der Fandom- und Popkultur sind verhältnismäßig junge Phänomene. Ja, Sie ahnen es! Auch die Zielgruppe ist jung – aber das wissen Sie sicherlich, sonst hätten Sie dieses Buch nicht gekauft.

Digital Wealth Economy: Junge Menschen tauschen Zeit gegen Rendite

Dass die Zielgruppe jung ist, ist klar. Aber jetzt werden Sie sicherlich fragen, ob all diese jungen Menschen auch Geld haben? Sie fragen sich bestimmt, warum gehen Mercedes-Benz und BMW ins Gaming, wieso Louis Vuitton und warum Balenciaga? Die Antwort ist simpel: Es gibt heute schlicht und ergreifend unzählige Möglichkeiten für Teenager und Studierende, Geld zu verdienen, die es früher nicht gab. Heute können Jugendliche ihre wichtigste Ressource Zeit gegen renditestärkere Vehikel eintauschen. Hier ein paar Beispiele: sich vorm Sneaker-Store anstellen, 'nen Schuh für 199 Euro kaufen und diesen für 2 000 Euro zu verkaufen. Ein paar Hundert Euro in Krypotwährungen anlegen und mit ein bisschen Glück vierstellige Kursgewinne erzielen. Dazu kommt, wenn man gut aussieht, lustig ist oder beides vereint, kreiert man TikTok- und YouTube-Videos oder Instagram-Postings, wo ein einzelner Post 100 Euro oder 1 000 Euro einbringen kann. Und wer keine Lust hat, sich an einen Redaktionsplan zu halten, geht live auf Twitch, spielt ein Videospiel oder spricht direkt in die Kamera. Die Guten spielen in E-Sports-Turnieren, wo es den einen oder anderen Groschen zu verdienen gibt. Das reicht vielleicht nicht für einen BMW, aber wer sich früh an Premiummarken und Luxus gewöhnt, fährt später auch keinen Opel. Die Frage ist nun: Wie erreicht man diese Leute?

Tradition trifft auf Fandom- und Popkultur – Haribo × Super Mario

Für die Traditionsmarke Haribo war das die erste Kooperation seit langem. Seit den Schlümpfen hat es niemand mehr auf diese Art und Weise in die Tüten von Haribo geschafft. Ziel war, die Marke stärker in der Fandom-Kultur zu positionieren. Und das geht am besten mit einer IP (Intellectual Property), die generationenübergreifend das Fandom geprägt hat: Super Mario. Um die Kooperation von zwei klassischen und kindheitsprägenden Marken zu würdigen, war Verhandlungsgeschick gefragt. Denn zwei so traditionsbewusste Unternehmen haben genaue Vorstellungen von ihrem Auftreten. Wir konnten Haribo davon überzeugen, ihren inneren Nerd zu entfesseln und ein Produkt rauszubringen, dass der Fandom-Kultur gerecht wird. Wichtig war uns dabei, nicht nur die Verpackung zu bedrucken, sondern den Inhalt ikonischer Super-Mario-Figuren nachzuempfinden. Ein Ritterschlag für alle Nerds und ein Gefühl der Wertschätzung für die gesamte Popkultur.

The Way of the Nerds: Drei goldenen Regeln aus fünf Jahren Erfahrung

Über die vergangenen fünf Jahre durften wir für Marken wie Mercedes-Benz, Pringles und Haribo arbeiten. Dabei handelten wir im Namen der Community und der Marken. Insbesondere drei Regeln haben sich in dieser Zeit herauskristallisiert.

Regel #1
Fans care about brands who care about them

Liebe ist keine Einbahnstraße. Wer Liebe erfahren will, der muss auch Liebe geben. Das trifft für Nerds und Geeks besonders zu. Es geht hier um mehr als nur Wertschätzung. Es geht um den Respekt und die Akzeptanz einer zu seiner Zeit stigmatisierten Gruppe von Menschen und ihrer Leidenschaft. Denn für lange Zeit wurden sie als Kellerkinder betitelt.

Regel #2
Es geht nicht um Kanal-, sondern um Kulturmarketing

Neben Algorithmen, CPM (Cost Per Mille) und TKP (Tausend-Kontakt-Preis) sind die Insights, die richtige Sprache zu beherrschen und vor allem die richtigen Protagonist:innen zu kennen, die einem Glaubwürdigkeit und Street Credibility verleihen, viel wichtiger. Zusammengefasst zielt Kanalmarketing auf die Abschöpfung von Reichweite ab, während es bei Kulturmarketing um die Förderung der Communities geht.

Regel #3
Don't ask if it's too nerdy. Ask if it's nerdy enough

Nerds und Geeks haben sich schon immer darüber definiert, wie viel Wissen sie über ein Thema besitzen. Das ist der Ansatzpunkt für Marken, nämlich den Mut zu haben, vollen Einsatz zu zeigen, und anzufangen, wie die Community selbst zu denken. Schließlich macht man das nicht nur für sich selbst, sondern auch für das Fandom.

Wer also eine Love-Brand sein will, muss zuerst Liebe geben, die Kultur unterstützen und die Welt durch die Nerd-Brille sehen.

DANIEL GRIEDER

Daniel Grieder wurde 1961 in den USA geboren und studierte Wirtschaft in Zürich. 1997 stieß er zu Tommy Hilfiger und wurde 2014 CEO und President von Tommy Hilfiger Global und PVH Europe. Seit Juni 2021 ist er CEO von HUGO BOSS. Er hat zwei Söhne und lebt in Zürich.

Wie man junge Kund:innen zu Fans macht

Claim Back the Lead – zurück zu einer führenden Marke

In einer sich ständig verändernden, digitaleren Welt müssen sich Marken immer wieder neu erfinden, um für ihre Kund:innen – insbesondere jüngere Generationen – relevant zu bleiben. HUGO BOSS, einst ein Top Player im Modemarkt, hat in den vergangenen Jahren an Relevanz verloren und ist jetzt dabei, seine Position zurückzuerobern. Ein erfolgreiches Comeback ist nicht einfach, aber umso großartiger, wenn es gelingt.

Die Grundlage hierfür sind eine klare Zielsetzung und Strategie sowie das richtige Mindset. Das Ziel: bis 2025 eine der Top-100-Brands weltweit zu werden und dabei junge Zielgruppen als Fans zu gewinnen. Denn Fans sind loyal und auch langfristig begeisterungsfähig. Ein starker Fokus liegt dabei auf der Aktivierung der beiden Marken BOSS und HUGO – sie sollen moderner und wieder relevant werden, vor allem für die Gen Z und Millennials. Die Lösung: ein kompletter Branding Refresh für die beiden Marken.

Im Store der Zukunft ist der Umsatz dabei nur eine Seite der Medaille. Die andere Seite sind Emotionen, Erlebnisse und ein 24/7-Service. Kund:innen sollen zu Fans werden, und dabei ist ein Mobile- und Social-First-Ansatz entscheidend für den Erfolg, gerade bei den jüngeren Zielgruppen.

Anfang 2022 lancierten wir weltweit einen Branding Refresh mit zwei zeitgleichen Social-First-Kampagnen. Die Gesichter der BOSS Kampagne standen für ein Motto, mit dem sich die junge Zielgruppe identifizieren kann: #BeYourOwnBOSS. Dabei waren Weltstars wie die Topmodels Kendall Jenner, Hailey Bieber und Joan Smalls, der Rapper Future, TikTok-Star Khaby Lame, Sänger und Schauspieler Lee Minho, die Läuferin Alica Schmidt, Tennis-Champion Matteo Berrettini sowie Profiboxer Anthony Joshua. Sie alle verkörpern, was ein echter »Boss« für die Generation Z heute ausmacht.

Diese Fallstudie zeigt, wie erfolgsentscheidend ein konsequenter Mobile- und Social-First-Ansatz sowie relevante Inhalte für die jüngeren Generationen sind.

The Time is Now – das Momentum nutzen

Im Januar 2022 launchte das Metzinger Modeunternehmen die beiden globalen Kampagnen der Marken BOSS und HUGO. Weltweit erlebbar waren diese allem voran in sozialen Netzwerken sowie durch großformatige Außenwerbung in 37 Metropolen. Zum Start der Social-First-Kampagnen veröffentlichten zudem über 220 Influencer:innen Content auf ihren Kanälen.

Nach fast 50 Jahren führte der Konzern neue Logos ein, verbunden mit einer kompletten Markenerneuerung. Es war der Beginn einer neuen Ära für den Lifestyle-Konzern. Beide Kampagnen waren ein wichtiger Schritt hin zu dem Ziel, in den kommenden Jahren eine globale Top-100-Brand zu werden. Keine einfache Aufgabe für ein traditionsreiches Unternehmen, das bereits 1924 gegründet wurde.

Nahe an der Gen Z durch konsequenten Social-First-Ansatz

Wir waren begeistert von dem riesigen Echo, das unsere Kampagnen weltweit ausgelöst haben. Dank der Besetzung mit Gen-Z-Stars und dem konsequenten Social-First-Ansatz erreichten die Kampagnen eine digitale Aktivierung mit insgesamt 21,3 Milliarden Ansichten und mehr als 900 Millionen Interaktionen in nur elf Wochen. Für dieses Feuerwerk und weitere Maßnahmen haben wir im ersten Quartal 2022 gut 10 Prozent unseres Umsatzes in Marketing investiert. Im gleichen Zeitraum konnten wir gegenüber 2019 bereits eine Umsatzsteigerung von 17 Prozent erzielen.

Ein zentraler Aspekt war es, die beiden Marken HUGO und BOSS neu zu definieren. Die bestehenden Kund:innen dabei nicht außer Acht zu lassen, war natürlich wichtig. Trotzdem gingen wir diesen Schritt, da uns die Relevanz der jungen Zielgruppe für die Zukunft des Unternehmens bewusst ist. Die Marke BOSS hat einen neuen Look and Feel erhalten mit einer klaren Differenzierung des Produktangebots. Der charakteristische Hoodie, mit dem neuen Markenlogo, ist nun das meistverkaufte Produkt in der Geschichte des Modekonzerns! Als Teil des Branding Refresh haben wir eine Fashion Show in Dubai umgesetzt. Die Vision: Shows, wie sie früher in der Modewelt üblich waren, neu denken und einzigartige Settings schaffen, in denen digitaler Content erstellt werden kann. Dieser wurde dann über verschiedene Kanäle einem breiteren Publikum zugänglich gemacht, um Follower:innen weltweit zu erreichen und zu begeistern. Allein auf YouTube erreichte die Show in kürzester Zeit über 32 Millionen Ansichten.

Die HUGO-Kollektion richtet sich gezielt an die Gen Z. Das Coachella Festival in Palm Springs ist eines der relevantesten Gen-Z-Happenings und bekannt für seine jungen trendbewussten Besucher:innen – und somit der perfekte Ort, um mit Kund:innen in Kontakt zu treten. Wir haben für den Event eine eigene Plattform für TikTok-Stars und Influencer:innen zur Verfügung gestellt. In weniger als zwei Wochen wurden 1,3 Milliarden Ansichten und 23,3 Millionen Interaktionen auf Social Media erreicht.

Da Online-Shopping für die junge Zielgruppe relevant ist, haben wir unseren Webshop ebenfalls neu designt. Dieser ist optisch ansprechender und besser auf den/die Nutzer:in abgestimmt. Die Branding-Refresh-Kampagnen spiegeln sich auch in den dortigen Umsatzzahlen wider.

Jungen Generationen auf Augenhöhe begegnen – mit positivem Mindset und Engagement

Eine solche Markenerneuerung und insbesondere die Umsetzung der beiden globalen Kampagnen in so kurzer Zeit ist ein enormer Effort. Erfolgsentscheidende Elemente sind dabei ein klares gemeinsames Ziel und die richtige Strategie – sowie die Bereitschaft, all-in zu gehen.

Dem Ziel, wieder eine der 100 weltweit führenden Marken zu sein, kommen wir mit großen Schritten näher. Die »CLAIM 5«-Strategie ist dabei ein wichtiger Wegweiser. Sie setzt sich zusammen aus: Boost Brands, Product is King, Lead in Digital, Rebalance Omnichannel und Organize for Growth. Im Mittelpunkt stehen die Konsument:innen, für die neue Erlebnisse geschaffen werden und das Produktangebot weiter verbessert wird. Unsere Entscheidungen treffen wir dabei datenbasiert. In Portugal bauen wir zurzeit ein digitalen Campus auf, der Daten gezielt analysiert und so unter anderem Produkte vorschlägt, die besonders gut ankommen. Damit wissen wir mit der Zeit immer genauer, was die Kund:innen sich wünschen.

Ein wesentlicher Erfolgsfaktor ist auch, jungen Generationen auf Augenhöhe zu begegnen. Echte Learnings in Bezug auf die Gen Z können nur durch den direkten Austausch mit ihren Vertreter:innen und echtes Interesse entstehen. Ein regelmäßiger, offener Dialog ist zentral, und vor allem muss man richtig zuhören. Das mache ich persönlich auch sehr bewusst. Unternehmen sollten daher entsprechende Plattformen entwickeln, um die Gen Z in Entscheidungen einzubinden.

Wichtig ist, stets das Ziel vor Augen zu haben und daran zu glauben, dass auch das Unmögliche möglich ist.

DIANA ZUR LÖWEN

Diana zur Löwen ist Content Creator und Business Angel. Auf Instagram hat sie mehr als 1 Million Follower (@dianazurloewen). Ihre Community nimmt sie bei politischen Themen mit, aber auch, wenn es um ihre Start-up-Beteiligungen geht oder darum, wie Geld smart investiert werden kann. 2018 hat Diana zur Löwen die Innovationsberatung CoDesign Factory mitgegründet, 2020 ihren eigenen Online-Shop Melationship und 2021 Rawr Ventures. Ihre 2021 gestartete Petition zu mentaler Gesundheit wurde in den Koalitionsvertrag aufgenommen. Diana zur Löwen engagiert sich stark für dieses Thema und einen gesunden Umgang mit digitalen Medien.

Authentizität schlägt Perfektion. Warum Content Creation in Social Media eigenen Regeln folgt

Statt Fernsehen und Facebook setzen junge Influencer:innen heute auf Kanäle wie Instagram, TikTok oder LinkedIn. Sonderformate wie Podcasts oder Discord ergänzen die Vielfalt. Zudem präsentiert sich Kommunikation immer nischenorientierter. Dieses Bild zieht sich über die gesamte Marketing- und Kommunikationswelt: Die Möglichkeiten werden immer vielfältiger, die Kommunikationskanäle ebenso.
Diese Veränderungen wurden mitunter durch gesellschaftliche Entwicklungen wie Corona stark beeinflusst. Kanäle wie TikTok sowie die Arbeit und Wirkung von Influencer:innen wurden gestärkt. Content Creation setzt auf neue Schwerpunkte. Aber auch Trends, wie beispielsweise DAOs[1] oder sogenannte Discord Channels[2] tragen zu der veränderten Kommunikation bei.

Diese Case Study zeigt, wie schnell sich Kommunikation in den sozialen Medien wandelt und wie wichtig es ist, Digital Natives und Influencer:innen auf diesem Gebiet in die Gestaltung und Umsetzung von Content Creation einzubinden.

Die Social-Media-Welt funktioniert wie eine Zeitmaschine in die Zukunft

Was vor zehn Jahren für Influencer:innen das Geheimrezept war, war vor vier Jahren bereits überholt und findet heute im Jahr 2022 schon

1 DAOs sind neue Formen der Zusammenarbeit unter dem Kerngedanken, dass alle Beteiligten auf Augenhöhe zusammenarbeiten. Bekannter in dem Zusammenhang sind beispielsweise Ökosysteme statt zentral gesteuerter Plattformen.

2 Der Discord kommt aus der Gaming-Branche und ist eine Art Chat für Privatleute zu bestimmten Themen. Das könnte ein Discord zum Thema Finanzen sein mit unterschiedlichen Unterkanälen wie »Nachhaltig Investieren« oder »Immobilien«.

wieder auf einem ganz anderem Terrain statt. Beispielsweise hatte ich vor vier Jahren noch eine Fotografin engagiert, die täglich Bilder von mir für meine Kanäle machte. Heute kreiere ich stattdessen bis zu fünf Videos pro Tag. Davon werden die meisten von mir selbst und nur noch wenige Inhalte professionell gedreht.

Mit Blick auf die Zielgruppe der 18- bis 25-Jährigen werden Social Media durchschnittlich vier Stunden täglich genutzt.

Unternehmen haben diese Entwicklung entweder bereits erkannt und handeln entsprechend, oder sie ignorieren sie und haben die Zeitmaschine in die Zukunft bereits verpasst. Insbesondere junge Menschen suchen heutzutage mehr denn je nach Sinnstiftung und Werten in ihrem Leben. Sei es in der Freizeit, in der Arbeit, bei Produkten oder Dienstleistungen. Es wird mehr hinterfragt als je zuvor und somit auch genauer hingehört, was Unternehmen und Influencer:innen kommunizieren.

Die Kunst ist es, den richtigen Kanal zu finden, um die jeweilige Zielgruppe zu erreichen und zugleich schnell und einprägsam die richtigen Fragen zu stellen, zu informieren und zu mobilisieren.

Wie das gelingen kann, zeigen immer mehr Start-ups oder Firmen, die voll hinter ihren Zielen stehen und mit dem richtigen Content den Markt in Bewegung bringen. Warum und wie Kommunikation auf Social Media und mit Influencer:innen erfolgreich funktioniert, lässt sich leicht erklären.

Besser performt, wer tagesaktuell, kurz und regelmäßig postet

Im Jahr 2021 habe ich zusammen mit Andreas Bergholz, stellvertretender Chefredakteur eines Anti-Fake-News-Blogs, eine Petition gestartet, bei der wir mehr kassenärztliche Psychotherapieplätze gefordert haben. Das wurde schließlich sogar im Koalitionsvertrag aufgenommen. Spannend dabei war allerdings, dass wir innerhalb einer Woche über 100 000 Unterschriften generiert haben. Warum? Weil mentale Gesundheit jeden Menschen betrifft und das Thema auf allen Kanälen eine sehr hohe Reichweite erzielte. Aufgrund der gewählten Kanäle war die Zielgruppe vorrangig die Gen Z. Damit ist das ein schönes Beispiel, wie klassische Tools (zum Beispiel eine Petition) über die unterschiedlichen aktuellen

Kommunikationswege der Gen Z genutzt werden. Mit Petitionen oder politischem Engagement kann man viele Menschen erreichen und gemeinsam viel bewegen. Wir nutzen unsere persönliche Reichweite in Social Media, um gemeinsam etwas zu bewegen.

Ein Teil des Erfolges dabei verbirgt sich darin, den eigenen Werten und denen der Zielgruppe treu zu bleiben. Einige Unternehmen starten Aktionen ohne dieses Bewusstsein. Das wäre zum Beispiel der Fall, wenn ein Kosmetikkonzern für natürliche Inhaltsstoffe wirbt, aber immer noch Tierversuche unternimmt. Oder wenn eine Lebensmittelmarke auf Gesundheitsthemen setzt, aber das Produkt vor allem auf Zucker basiert. Das ist nicht nur nicht authentisch, sondern oft sogar Täuschung.

Daraus abgeleitet, rate ich Unternehmen heutzutage, sich auf ein Thema zu spezialisieren, um damit als der Experte für zum Beispiel das Thema Laufen oder Finanzen wahrgenommen zu werden. So erreicht man seine Zielgruppe am besten.

Für die Social-Media-Arbeit gibt es einige grundlegende Empfehlungen. Ein Tag kann beispielsweise damit beginnen, sich tagesaktuelle Trends anzuschauen. Diese Trends gleiche ich mit meinen Thesen und Erfahrungen ab und leite dann Inhalte aus meiner Perspektive davon ab. Das kann in Form eines eigenen Posts via Videostatement oder beispielsweise auch durch eine getaggte Empfehlung sein. Bei der Kanalwahl rangiert aktuell ganz weit vorne TikTok, gefolgt von Instagram und LinkedIn. Was gut auf TikTok performt – 70 Prozent der TikTok-User sind aktuell aus der Gen Z –, landet dann in der Regel auf Instagram und weiteren Kanälen.

In der Ausgestaltung ist Video klar das neue Bild – und das im 9:16-Format. Dazu kommt, dass die Botschaften kurz und dafür lieber häufiger gesendet werden sollten.

Ich merke das bei meiner Community oder wenn ich für Werbekunden Videos erstelle: Es bringt viel mehr, wenn ich mit meiner Handykamera filme und einen nahbaren, schnellen Einstieg mache, als zu viel Ästhetik in den Vordergrund zu stellen. Es ist wichtiger, eine prägnante Frage am Anfang zu stellen, eine These aufzuwerfen oder eine hohe Bildfrequenz zu kreieren, um hohe Aufmerksamkeit zu erreichen.

Übergreifend schlägt Authentizität klar Perfektionismus. Dazu kommt, dass in Social Media Quantität und Qualität Hand in Hand gehen. Deswegen lohnt es sich, sich auf Themen zu spezialisieren und auch mal Inhalte auf andere Art und Weise zu wiederholen. Beispielsweise kann ich mit derselben Aussage, aber gedreht an unterschiedlichen Orten – zum Beispiel einmal in der geschäftigen Großstadt, einmal in der ruhigen Natur oder in einem modernen Co-Working-Space –, durch jedes Video neue Menschen erreichen.

Gib deiner Marke ein Gesicht, dem man vertraut und gerne folgt

Möchte man mit seinen Marken einen Unterschied machen, kann es sehr hilfreich sein, eine oder mehrere Personen zu haben, die das Gesicht des Unternehmens verkörpern. Sind das der/die Geschäftsführer:in oder der/die Gründer:in selbst, kann sich das auszahlen – ebenso wie die Investition in Influencer:innen. Bei Letzteren müssen es auch nicht immer die großen Stars ihrer Gattung sein. Microinfluencer:innen mit weniger als durchschnittlich 50 000 Followern haben den Charme, dass sie etwas günstiger sind, aber gegebenenfalls auch konzentrierter auf bestimmte Nischen und somit sogar effizienter in der Gesamtperformance sind.

Um schließlich Social Media – insbesondere für die Gen Z – erfolgreich zu nutzen, braucht es zusammenfassend:

- Fokus auf Videocontent im 9:16-Format,
- mehr Handmade-Inhalte – kurz, relevant und in hoher Frequenz,
- Werte wie Authentizität und Vertrauen,
- Mitarbeitende, Partner:innen oder Berater:innen aus der Gen Z, um Trends frühzeitig einzubinden.

Im Umkehrschluss bremsen folgende Vorgehen Unternehmen eher aus:

- Perfektionismus,
- lange oder langsame Freigabeprozesse,
- zu viel Kontrolle in Zusammenarbeit mit Influencer:innen, das geht zulasten der Kreativität.

YAËL MEIER

Yaël Meier ist Mitgründerin von ZEAM. Als junge Stimme in der Business- und Medienwelt erkennt Yaël das Potenzial der Gen Z. Mit 14 Jahren startete Yaël ihre Schauspielkarriere mit einer Hauptrolle in einem Spielfilm, mit 17 Jahren wurde sie zur jüngsten Mitarbeiterin der Schweizer Tageszeitung Blick, mit 19 Jahren gründete sie ZEAM und mit 20 wurde sie Mutter. Heute ist Yaël 22 Jahre alt, wurde als Forbes 30 Under 30 und zweimal als LinkedIn Top Voice ausgezeichnet.

Wieso erfolgreiche Unternehmen mit den Jungen sprechen und nicht über sie

Die Gen Z wird anders angesprochen als frühere Generationen

Das Jugendwort des Jahres wurde bis 2020 von einer Gruppe Erwachsener ausgewählt. Die verwirrten Gesichter bei der Bekanntgabe unter Jugendlichen waren programmiert. Erst seit 2021 stimmen junge Menschen selber darüber ab, was das in ihrem alltäglichen Sprachgebrauch populärste Wort ist. Das zeigt – als eines von vielen Beispielen –, was passiert, wenn man die tatsächliche Zielgruppe nicht in Entscheidungen miteinbezieht. Es funktioniert nicht.

Mit ZEAM helfen wir Unternehmen, die Generation Z zu erreichen. Aus unzähligen Projekten mit großen Firmen konnten wir Erfahrungen sammeln, die wir hier gerne teilen wollen.

Viele Unternehmen merken, dass sie weiter denn je von der relevanten jungen Zielgruppe entfernt sind. Sie verlieren täglich junge Kund:innen, haben Schwierigkeiten, Talente anzuziehen, und versuchen verzweifelt, Wege zu finden, wie sie junge Menschen begeistern können. Die Lösung ist einfach: Man muss *mit* ihnen sprechen, nicht *über* sie.

Die heutige junge Zielgruppe – die Gen Z – muss anders angesprochen werden als frühere Generationen. Sie verbringen vier Stunden pro Tag am Smartphone, und die digitale Welt ist für sie nicht weniger real. Vielmehr ist sie eine Erweiterung des physischen Daseins. Junge Menschen bauen sich Lebenswelten in Games, treffen Freund:innen auf Twitch und drehen zum Spaß TikTok-Videos, die Hunderttausende Leute erreichen. Und gleichzeitig denken 40-jährige Marketinggenies, sie wüssten, wie eine Kampagne aussehen muss, die 14-Jährige ansprechen soll.

Diese Fallstudie zeigt, wie wichtig eine generationenübergreifende Zusammenarbeit ist und warum man junge Menschen in Entscheidungen und Strategien einbeziehen muss, die sie ansprechen sollten.

Von digitalen Kanälen zum physischen Ort – aber wie?

Kurz vor Weihnachten 2021 wurde im größten Schweizer Warenhaus in Zürich eine neue Fläche eröffnet, die eine junge Zielgruppe zurück in den Laden locken soll. Seit längerer Zeit spüren sie nämlich einen starken Rücklauf der jungen Kundschaft. Die Kultmarke Adidas will das ändern. Die Fläche ist modern eingerichtet, es gibt hippe Streetwear, ein DJ-Pult, und man findet angesagte Brands wie Veja und Adidas. Die Brand Manager mit den drei Streifen wussten zwar, dass man die Gen Z digital an einen physischen Ort locken muss – aber nicht, wie. Da kamen wir ins Spiel.

Zusammen mit dem Marketing des Warenhauses wurde ein Budget zur Verfügung gestellt, mit dem Ziel, die neue Fläche in der jungen Schweizer Bevölkerung bekanntzumachen.

So werden Wellen geschlagen

Das Team von Adidas hat etwas gemacht, was nicht selbstverständlich ist, wenn man als Weltmarke eine Agentur mit Mitarbeiter:innen, deren Durchschnittsalter bei 21 Jahren liegt, engagiert: Es hat uns zu 100 Prozent vertraut.

Eine Kampagne sollte in erster Linie der Zielgruppe gefallen, nicht den Geldgeber:innen – das fällt vielen Unternehmen schwer. Sie fragen sich, wie sie eine Kampagne absegnen können, von der sie sich selbst nicht angesprochen fühlen. Ein Produkt in die Kamera zu halten oder eine klassische Plakatkampagne funktioniert heute aber nicht mehr. Man muss in die Lebenswelt der Generation Z eintauchen – und sie darum in die Kampagnenplanung einbinden.

Einerseits war klar, dass die Kampagne die junge Zielgruppe da abholen muss, wo sie sich aufhält – und zwar in den sozialen Medien. Andererseits wollten wir etwas machen, das so nur Gen Zler:innen könnten.

Zwischen den beiden TikToker:innen Aditotoro und Hannah Tulnik baute sich über Wochen eine Geschichte auf, die Millionen von jungen Menschen in den Bann zog. Alle wollten wissen, ob die Österreicherin und der Schweizer ein Paar sind. Da alle aus unserem Team die Story selbst gespannt verfolgt hatten, wussten wir, dass das momentan eine ganz heiße Geschichte war, und hatten direkt eine Idee, wie wir diese für Adidas einsetzen konnten. Hannah wurde in die Schweiz eingeladen und hat Aditotoro im neuen Adidas-Store im Jelmoli in Zürich getroffen. Innerhalb kürzester Zeit sind zwei Videos entstanden, die später viral gehen würden. Über 6 Millionen Views und zwischenzeitlich sogar Platz 7 der YouTube-Trends. In einer wissenschaftlichen Untersuchung mit einer Stichprobe von 4 150 Personen haben wir zudem herausgefunden, dass die kontextspezifische Ad als deutlich auffälliger, unterhaltsamer, origineller, einprägsamer und überzeugender angesehen wurde als klassische Werbungen, die über TikTok ausgespielt werden. Das zeigt, dass eine Werbung klar besser ankommt, wenn sie sowohl auf den Kanal als auch die Zielgruppe zugeschnitten ist. Man kann also sagen: Die Kampagne war ein großer Erfolg!

Gleichzeitig hat etwas anderes interne Wellen geschlagen: das prominente Northface-Logo auf der Winterjacke von Hannah Tulnik. Für uns war es die erste Kampagne in dieser Größe. Uns hat die Erfahrung und die Corporate-Brille gefehlt, um auf dieses Detail zu achten. Adidas hat das Video trotzdem freigegeben – und uns im Debriefing darauf aufmerksam gemacht.

Wertschätzung und Vertrauen: das Rezept für eine erfolgreiche Zusammenarbeit

Diese Erfolgsstory war nur möglich, weil Adidas das Vertrauen in junge Menschen hatte und daran glaubte, dass sie etwas machen werden, was andere junge Menschen begeistert. Gleichzeitig setzt dieses Vertrauen eine Bodenständigkeit voraus, weil man sich eingestehen muss, dass man selbst nicht alles versteht. Zusammen ergab das einen fruchtbaren Boden für die Zusammenarbeit von diversifizierten Teams.

Weder jemand aus unserem Team noch einer der zwei Content Creators war über 25 Jahre alt. In der Umsetzung hatten wir fast freie Hand. Doch auf strategischer Ebene erhielten wir wertvolle Inputs von den Brand Managern von Adidas. Sie kennen die Marke auswendig, haben schon zig Kampagnen begleitet und erkennen, wo die Gefahren lauern. Wir wissen, was die Lebenswelt von jungen Menschen bewegt, sprechen die gleiche Sprache und können Geschichten erzählen. Auch das spiegelt wider, was erfolgreiche Teams ausmacht: Jede:r konzentriert sich auf das, was er/sie am besten kann.

Zuletzt ist es die gegenseitige Wertschätzung, die eine erfolgreiche generationenübergreifende Zusammenarbeit ausmacht. Uns Jungen wird zugehört, unsere Ideen werden ernst genommen und unserem Urteil vertraut. Zeitgleich ist allen bewusst, welche Verantwortung das bedeutet und wo wir noch auf Erfahrung angewiesen sind. Man begegnet sich auf Augenhöhe und hört sich gegenseitig zu. Dann kann man auch mal ein Auge zudrücken, wenn junges Blut übermütig handelt oder Erfahrung steif wirken lässt.

DANIEL KRAUSS

Daniel Krauss führt als Chief Information Officer bei Flix die Bereiche Technologie und Personal. Gemeinsam mit seinen Mitgründern baute er Flix zum größten Fernbusanbieter in Europa auf und entwickelte das Unternehmen in den vergangenen Jahren global weiter. Überdies ist Krauss als Investor und Mitglied in Advisory Boards tätig, unter anderem bei powercloud, Cloudflight und uvex. Seine Überzeugung, für Bildung, Unternehmertum und Innovationskraft einzustehen, zeigt er als Dozent an der Friedrich-Alexander-Universität und Gründungsgesellschafter der Initiative FightBack, die den Wandel zu einer nachhaltigeren Gesellschaft fördert. Zudem ist er aktiver Gesellschafter von Startup Teens, Deutschlands größter NGO für unternehmerische Bildung.

Die Zielgruppe als Teil der Unternehmens-DNA. Wie man eine Marke für Gen Z aufbaut

Wenn Svenja immer freitags in den FlixBus steigt, weiß sie, dass über neun Stunden Fahrt vor ihr liegen. Sie wohnt in München und ist 24 Jahre alt. Ihr Freund, den sie vergangenes Jahr auf einem Festival kennen gelernt hat, wohnt in Berlin. Sie hätte auch mit dem Zug fahren können. Das wäre schneller gegangen, wäre aber auch teurer gewesen. Fliegen kommt aus ökologischen Gründen gar nicht infrage. Schließlich isst sie ja auch seit über einem Jahr kein Fleisch mehr. Als sie ihren Platz gefunden und den Rucksack verstaut hat, will sie gerade ihre Kopfhörer aufsetzen, als sie mit der jungen Frau neben ihr ins Gespräch kommt. Svenja mag solche spontanen Unterhaltungen. Die junge Frau ist nett, sie ist im gleichen Alter, und sie sprechen darüber, wie sich eine Fernbeziehung anfühlt. Svenja erzählt, dass sie fast jeden Freitag aufgeregt in den FlixBus einsteigt und jeden Sonntagabend mit Schmetterlingen im Bauch zurückfährt. Als ein paar Stunden später die Sonne untergeht, scheint sie Svenja warm ins Gesicht. Sie setzt ihre Kopfhörer auf und drückt ihre Schläfe gegen das Fenster. Sie bemerkt, dass Flix-Bus-Fahren längst ein fester Teil ihres Lebensrhythmus geworden ist.

Svenja gibt es nicht wirklich – oder vielleicht gibt es sie, und sie hat einen anderen Namen. Jedenfalls ist Svenja ganz klar ein Teil unserer wichtigsten Zielgruppe. Vor allem als unser Unternehmen FlixBus noch ganz jung war. Damals war es unser Ziel, Svenja und ihre ganze Generation – die Generation Z – mobil zu machen. Denn wir hatten erkannt, dass diese jungen Menschen ein riesiges Beförderungsbedürfnis haben. Uns war klar: Um das zu schaffen, muss unsere Zielgruppe zu unserer Unternehmens-DNA werden. Erst dann können wir Teil ihres Alltags werden. Freiheit, Entdeckertum, Unternehmungslust mit möglichst kleinem ökologischem Fußabdruck – diese Dinge waren es, die wir als Unternehmen bieten wollten. Deshalb veränderten wir uns so lange, bis unsere Zielgruppe dieses Lebensgefühl in unseren Bussen spüren konnte.

Eine ganze Generation mobil machen – aber wie?

Als wir im Jahr 2012 begannen, unser Unternehmen – damals noch unter dem Namen GoBus – aufzubauen, fehlte uns an vielen Stellen das nötige Know-how. Wir hatten weder genug Ahnung von der Busbranche noch von der Generation Z, die wir befördern wollten. Die Gründer von FlixBus waren alle mindestens eine Generation älter. Die Gen Z unterscheidet sich eigentlich nicht viel von anderen jungen, aufstrebenden Generationen, wie beispielsweise der 68er Generation. Der einzige Unterschied: Generation Z ist mächtiger! Durch die Transparenz, die Social Media herstellt, und dem Überfluss an Angebot ist ein Käufermarkt entstanden. Das heißt: Die jungen Kund:innen sind König:innen. Wir als Start-up mussten es deshalb schaffen, die potenziellen Kund:innen zu Beteiligten zu machen. Die einzige Möglichkeit dafür: zuhören! Bei uns ging es dabei vor allem um die Gestaltung unseres Namens, unserer Dienstleistung, unserer Busse und unseres Marketings.

Selbstoptimierung bedeutet Selbstlosigkeit

Die Gestaltung unseres Namens Die ersten Gen Zler:innen, denen wir zuhörten, waren unsere eigenen Mitarbeiter:innen. Nach ein paar Brainstorming-Phasen mit ihnen war uns klar, dass wir uns von dem ursprünglichen Namen »GoBus« verabschieden mussten. Der Name erinnerte bei der Google-Suche zu sehr an Globus – eine Tatsache, die uns erst durch den Austausch mit unseren jungen Kolleg:innen und ihrer intuitiven Art, Dinge zu googeln, klar wurde. Auch der neue Name FlixBus war ihre Idee. Dieses Credo haben wir weiterverfolgt: In den wichtigen Momenten haben wir uns von der Ursprungsidee verabschiedet und die richtigen Menschen mitentscheiden lassen.

Die Gestaltung unserer Dienstleistung Bis wir auf die Idee kamen, eine ganze Generation mit Fernbussen über die Straßen zu schicken, wurden vor allem Züge und Fahrgemeinschaften für Fernreisen genutzt. Deshalb haben wir uns zuerst auch an den bestehenden Angeboten orientiert und unsere Fahrpläne an denen der Deutschen Bahn angelehnt: wenig Umstiege, bequeme Abfahrt- und Ankunftszeiten, kurze Fahrdauern. Durch konstante Testings mit potenziellen Kund:innen haben wir aber schnell gemerkt, dass Gen Zler:innen anders ticken als Bahnkund:innen. Längere Fahrzeiten und Umstiege sind egal, solange eine CO2-Einsparung gewährleistet ist, die Tickets günstiger sind und unser Angebot immer und überall verfügbar ist sowie mit der App gebucht werden kann.

Die Gestaltung unserer Busse Auch bei der Gestaltung unserer Busse hatten wir viele Dinge im Kopf, von deren Wichtigkeit wir überzeugt waren. Genug Beinfreiheit beispielsweise oder ein paar Snacks. Nichts davon war relevant. Um die Zeit im Bus richtig nutzen zu können, benötigen junge Menschen lediglich funktionierendes WLAN und Steckdosen, damit das Handy oder der Laptop die ganze Busfahrt durchhält. Weiterhin genießen die Gen Zler:innen die Möglichkeit, in unseren Bussen mit anderen Gleichaltrigen in Kontakt zu kommen. Dieser Austausch findet in ICEs weitaus weniger statt – auch das haben unsere Umfragen ergeben.

Die Gestaltung unseres Marketings Auch die Art, wie wir unser Unternehmen durch Werbung und Marketing nach außen präsentiert haben, war letztendlich ganz von der Gruppe Menschen abhängig, die wir erreichen wollten. Auch hier halfen uns unsere jungen Mitarbeiter:innen beispielsweise mit der Idee, bedruckte Fahrradsattelschoner auf den Universitätscampussen in ganz Deutschland zu verteilen. Fahrradsattelschoner? Ich war zu dem damaligen Zeitpunkt schon so lange aus dem Unileben raus, dass ich völlig vergessen hatte, wie relevant diese Dinge im Alltag der jungen Menschen sind. Auch sonst haben wir uns gegen große, kostspielige Kampagnen entschieden. Es ging eher um Guerilla-Marketing: eingängige Slogans mithilfe von Sprühkreide, kostenlose FlixBus-Gutscheine in den DB-Zügen, bedruckte Kondome. All unsere Marketingaktionen sollten das Lebensgefühl widerspiegeln, das wir vermitteln wollten: Freiheit, Entdeckertum, Unternehmungslust – und vielleicht auch ein bisschen Rebellion gegen das bestehende System.

Ein Unternehmen ist nur so gut, wie seine Kund:innen es bewerten

Wir haben rechtzeitig gemerkt, dass wir unser großes Ziel, die Gen Z mobil zu machen, zwar nicht aus den Augen verlieren dürfen, aber die Gestaltung dieses Ziels anderen überlassen müssen. Viele Unternehmen machen den Fehler, die eigene Meinung über die Meinung der Zielgruppe zu stellen. Eigentlich geht es aber darum, agile, iterative Prozesse einzuhalten: eine Idee zu haben, sie dann nicht zu überhöhen und immer wieder anzupassen. Dann steht dem Aufbau einer Marke für die Generation Z auch nichts im Weg. Heute blicken wir auf zehn Jahre erfolgreiche Unternehmensgeschichte zurück und beschäftigen rund 1300 Mitarbeiter:innen. Wir freuen uns immer noch jeden Tag darüber, dass wir junge Menschen wie Svenja ihren Vorstellungen entsprechend an ihr Ziel bringen können: zum einen, weil die Generation Z ein Teil unserer Unternehmens-DNA geworden ist, zum anderen, weil die Mobilität aller unsere Vision ist.

CHRISTINA RICHTER

Christina Richter ist die Gründerin des Personal Branding Instituts in Berlin. Nach zehn Jahren Erfahrung in Agentur, Mittelstand sowie Großkonzern in den Bereichen PR, Unternehmenskommunikation und Social Media berät sie seit 2015 Unternehmen und Unternehmer:innen aus aller Welt rund um Corporate Influencer Strategien und Personal Branding.

Let's face it: Moderne Unternehmen brauchen ein menschliches Gesicht

10 000 Likes und mehr als 400 Kommentare – diese Zahlen stammen nicht etwa von einer Lifestyle-Influencerin auf Instagram. Nein, sie sind das Ergebnis eines LinkedIn-Posts einer Marketingverantwortlichen eines deutschen Unternehmens. Auf LinkedIn. Nennen wir sie Laura. Laura ist 30 Jahre alt und gehört damit statistisch gesehen nicht mehr zur Gen Z. Dennoch ist Laura ein perfektes Beispiel für eine Disziplin, die hierzulande immer noch von vielen Menschen völlig unterschätzt oder sogar komplett ignoriert wird: Personal Branding auf LinkedIn.

Bei solchen Zahlen könnte man meinen, dass nahezu jede:r Deutsche auf LinkedIn aktiv ist. Aber das ist nicht der Fall. Laut LinkedIn sind gerade einmal rund 5 Prozent aller LinkedIn-Nutzer:innen aktive Nutzer:innen, also solche, die sich aktiv mit Kommentaren an Diskussionen beteiligen oder selbst Beiträge veröffentlichen. Im Umkehrschluss bedeutet dies, dass rund 95 Prozent aller Nutzer:innen stille Leser:innen sind. Was für ein Potenzial!

Laura hat genau dieses Potenzial Anfang 2022 erkannt und fing an, selbst Inhalte zu veröffentlichen und sich aktiv an Diskussionen in der LinkedIn-Community zu beteiligen. Sie hatte ihre Themen klar vor Augen, und mit ein paar Anpassungen an ihrem Profil ist für jeden Menschen, der es anklickt, sofort ersichtlich, dass Lauras Themen Nachhaltigkeit und faire Produktion sind. Ihre Aktivitäten und die Schärfung ihres Profils zeigten sehr schnell Erfolg: In knapp drei Monaten konnte Laura ihre Community von etwa 5 000 Follower:innen auf rund 15 000 Follower:innen ausbauen. Diese Menschen sehen jeden ihrer Beiträge und diskutieren mit Laura – und untereinander – über die Themen, die sie anspricht. Und jede:r, der auf Laura aufmerksam wird, sieht auf ihrem Profil, was sie macht und wo sie arbeitet. Ihr Arbeitgeber hat damit ein Gesicht erhalten. Ihr Unternehmen kann auch eins haben.

Jede:r Mitarbeiter:in ist Spokesperson

Die weltweit erste Generation der Digital Natives rückt für Marketers immer mehr in den Fokus. Ihnen werden Eigenschaften zugeschrieben wie unternehmerisches Denken sowie Zielstrebigkeit, und sie wollen vor allem eines: Flexibilität. Mit ihrem Eintritt in das Berufsleben haben sie ihre eigenen Bedürfnisse und Erwartungen. Und sie achten auch verstärkt darauf, bei welchem Unternehmen sie Produkte oder Dienstleistungen einkaufen.

Die Gewinnung und Bindung dieser jungen Konsument:innen können sich daher als schwierig erweisen, vor allem für Unternehmen, die an Marketingmethoden der letzten 50 Jahre festhalten, weil sie es »immer so gemacht haben«.

Genau hier kommen Personal Branding für Ihre Mitarbeiter und LinkedIn ins Spiel. Denn machen Sie sich nichts vor: Wenn es darum geht, die Gen Z auf Ihr Unternehmen, Ihre Produkte oder Dienstleistungen aufmerksam zu machen, brauchen Sie heute jede Hilfe, die Sie bekommen können. Und diese Unterstützung kann von Ihren eigenen Mitarbeiter:innen kommen. Denn jede:r Mitarbeiter:in ist Spokesperson für Ihr Unternehmen. Die Frage ist: Nutzen Sie diese Möglichkeit? Oder basiert Ihre Kommunikation nach wie vor darauf, bis ins Detail abgestimmte Pressemitteilungen zu versenden und viel Geld in Anzeigen für Ihre Produkte oder Dienstleistungen zu stecken?

Lassen Sie mich Ihnen ein paar Zahlen aufzeigen: Laut internen Daten von LinkedIn bewirken engagierte Mitarbeiter:innen achtmal mehr Aufrufe der Unternehmensseite und viermal mehr Follower der Unternehmensseite. Die von Mitarbeiter:innen geteilten Inhalte erhalten achtmal mehr Engagement als die über Markenkanäle geteilten Inhalte. Im Kampf um die Aufmerksamkeit der Gen Zler:innen für Ihre Produkte oder Dienstleistungen können Sie so die Aktivitäten Ihrer Marketing- und Kommunikationsabteilung bestens flankieren.

Suchen Sie nicht nach Gen Z – lassen Sie sich von ihr finden

Die Gen Zler:innen sind echte Digital Natives, die im Grunde von Geburt an vernetzt sind, sodass es für sie selbstverständlich ist, online nach Vorbildern oder auch nach Peers zu suchen. Wenn Sie Ihrem Unternehmen kein menschliches Gesicht geben, das sowohl vielseitig als auch innovativ ist, werden Sie in Zukunft Schwierigkeiten haben, die Aufmerksamkeit der Gen Z zu bekommen. Ihre Mitarbeiter:innen sind diejenigen, die Ihr Unternehmen und die Art und Weise, wie andere Menschen es sehen, prägen – so auch junge Konsument:innen.

Denn die Gen Z achtet verstärkt darauf, bei welchen Unternehmen sie Produkte kauft oder Dienstleistungen bucht. Laut einer PwC-Deutschland-Umfrage unter 1 000 Bundesbürger:innen im Alter von 18 bis 25 Jahren achtet die Gen Z beim Einkaufen auf Kriterien wie umweltfreundliche Verpackungen, ökologisch abbaubare Produkte oder ressourcenschonende Produktion. Für zwei Drittel der jungen Erwachsenen sind solche Aspekte beim Kauf von Lebensmitteln, Kosmetik oder Bekleidung relevant. Und diese Aspekte basieren sehr stark auf den Werten von Unternehmen und ob sie einen klaren Purpose haben.

In Anbetracht dessen müssen Unternehmen sicherstellen, dass sie sich über ihre Werte im Klaren sind und diese auch sichtbar nach außen zeigen. Wie kann man die Werte eines Unternehmens besser vermitteln als durch seine Mitarbeiter:innen? Lassen Sie Ihre Mitarbeiter:innen Personal Branding nutzen und auf LinkedIn aktiv sein, um auf Ihr Unternehmen aufmerksam zu machen.

Wenn es also um die Suche nach einem bestimmten Produkt oder einer Dienstleistung geht, sollte die Gen Z möglichst auf Ihr Unternehmen stoßen. Und das funktioniert mit Geschichten, also persönlichen Erlebnissen, Anekdoten und News rund um Ihr Unternehmen, die die Mitarbeiter:innen teilen und die dort gelebten Werte widerspiegeln. Treffen diese Inhalte schließlich auf potenzielle Käufer:innen der Gen Z, bietet sich an der Stelle eine wirkliche Chance der Kundengewinnung für Sie und Ihr Unternehmen. Stimmen die Werte überein, besteht also die Möglichkeit für die Gen Z, sich mit Gleichgesinnten zu verbinden.

Einfach ausgedrückt: Wenn Unternehmen mehr Konsument:innen der Gen Z als Kund:innen für sich gewinnen wollen, müssen sie diese Generation verstehen: Sie sucht nach Menschen, die sie inspiriert und zu denen sie aufschauen kann, sowie nach ihresgleichen. Und Ihre Mitarbeiter:innen sind der beste Magnet dafür.

LinkedIn ist nur für Entscheidungsträger:innen und Unternehmer:innen – oder doch nicht?

Viele meinen, dass LinkedIn nur für Menschen gedacht ist, die bereits über große Erfahrung in ihrem Bereich verfügen und die bereits Erfahrung in ihrer Arbeit gesammelt haben. Lassen Sie es mich ganz klar sagen: Das ist nicht der Fall. LinkedIn steht jedem Menschen offen, der sich ein berufliches Netzwerk aufbauen, für ein bestimmtes Thema oder Fachgebiet bekannt werden und sich rund um Themen, Trends, Unternehmen, deren Produkte und Dienstleistungen informieren und inspirieren lassen möchte. Und wer sagt, dass man damit nur beginnen kann, wenn man bereits jahrelange Erfahrung hat? Die Wahrheit ist: Je früher Sie mit dem Aufbau eines Netzwerks und einer Reputation beginnen, desto erfolgreicher können Sie Ihre beruflichen Ziele erreichen.
Personal Branding dient als Grundlage für die Sichtbarkeit, es ist ein Kommunikationsinstrument, das jede:r nutzen kann, um sich für ein bestimmtes Publikum sichtbar zu machen. Um Ihre persönliche Marke aufzubauen, müssen Sie eine klare Vorstellung davon haben, was Ihr Thema sein sollte. Wofür möchten Sie, dass man Sie kennt – ist es IT-Expertise oder sind es Führungsthemen oder – wie in meinem Fall – Personal Branding? Überlegen Sie sich das einmal. Dann sollten Sie sich Gedanken darüber machen, wen Sie erreichen wollen. Wer sind die Menschen, mit denen Sie in Kontakt treten und sich verbinden möchten? Sobald Sie diese beiden Aspekte für sich geklärt haben, können Sie sich auf LinkedIn engagieren. Sie können damit beginnen, die Beiträge anderer Personen in Ihrer Branche zu kommentieren und sich mit ihnen zu vernetzen. Gehen Sie einen Schritt weiter.

Corporate Influencer sind der Schlüssel für Unternehmen, um Gen Z anzuziehen

Als Unternehmen mit 1000 Mitarbeiter:innen könnten Sie 1000 Personen beim Aufbau ihrer persönlichen Marke unterstützen. Stellen Sie sich vor, 1000 Menschen tragen Ihre Unternehmensfarben und Ihre Unternehmenskultur in die LinkedIn-Community und darüber hinaus. Und wenn Sie sich Sorgen machen, dass diese 1000 Mitarbeiter:innen Sie verlassen könnten, sobald diese sichtbar sind – nun, sie könnten Sie auch verlassen, ohne sichtbar zu sein. Lassen Sie uns die Perspektive wechseln: Stellen Sie sich vor, 1000 Mitarbeiter:innen werden sichtbar, und Sie ziehen die tollsten neuen Talente an und sie unterstützen Sie gleichzeitig dabei, Ihre Produkte oder Dienstleistungen zu vermarkten – klingt das nach einer Win-win-Situation? Hört sich das nicht verlockend an? Nun, es liegt in Ihrer Hand!

Frage 4

Wie sieht ein Umfeld aus, in dem die Gen Z ihr Potenzial unternehmerisch voll entfalten kann?

(Entrepreneurship und Intrapreneurship)

STEPHANIE BIRKNER

apl. Prof. Dr Stephanie Birkner ist Geschäftsführerin für den Bereich Innovation & Kollaboration bei der ZUKUNFT.unternehmen gGmbH, einem An-Institut der Carl von Ossietzky Universität Oldenburg. Sie forscht und lehrt als außerplanmäßige Professorin für Female Entrepreneurship zum Thema Vielfalt in der Gründungsforschung und -praxis. Als Reservistin im Quereinstieg bringt sie ihre wissenschaftliche Expertise sowie praktische Erfahrung als ausgebildete Coachin an der Führungsakademie der Bundeswehr unter anderem zu den Themen digitale Lehr-Lern-Designs und Führen in hybriden Welten mit ein.

Zeitenwende in der Nachwuchsförderung

Wem die Zukunft am Herzen liegt, kommt um die Frage nicht herum, wie wir junge Menschen so fördern können, dass sie fähig sind, ebendiese mit und für uns zu gestalten.

Die Basis dafür ist, lesen, schreiben und rechnen zu können. Je nach sozialem Status ist dies allerdings keine Selbstverständlichkeit und erfordert in Einzelfällen ganz eigene Fördermodelle. Abseits davon sieht unser Schulsystem den Erwerb von Wissen in einem Fächerkanon vor, der zwar vielfältig ist, bislang jedoch persönliche Talente kaum fördert. Zumeist geht es – wie auch im weiteren Bildungsweg – um überprüfbare, individuelle Exzellenzleistungen in einer Momentaufnahme. Der zugrunde liegende Standard vermag jedoch nur zu einem gewissen Grad abzubilden, welche Kompetenzen wirklich notwendig sind, damit wir uns den immer rasanter verschärfenden gesellschaftlichen Herausforderungen (wirtschaftlich) stellen können. So erleben wir aktuell eine Zeitenwende, in der der Fach-/Führungskräftenachwuchs nicht nur ahnt, sondern sogar gesagt bekommt, dass das, was heute gelernt wird, morgen schon überholt sein kann. Fragen der Nachwuchsförderung geraten so immer mehr zu einem Mysterium volatiler Jobprofile und damit einhergehenden komplexen Qualifikationsanforderungen. Es braucht eine neue Perspektive, die einen Orientierungspunkt bietet, wie jungen Menschen zum beruflichen Erfolg verholfen werden kann. Eine Perspektive, die Lernen als Generationen verbindendes Glied versteht.

Zukunftsgestaltung als Karriereanker

In Workshops und Mentoringgesprächen zur Karriereplanung mit Schüler:innen und Student:innen unterschiedlichster Herkunft und

Identitäten fällt mir eines in der Zusammenarbeit mit der Gen Z immer wieder besonders auf: Bei allen Individualisierungstrends zeichnet sich diese Generation durch die Gemeinsamkeit aus, dass der sinnstiftende Mehrwert der eigenen Arbeit eine hohe Relevanz besitzt. Ein klarer Fokus und damit Anker der Berufsorientierung liegt dabei weniger auf stereotypischen Erfolgsidealen als vielmehr darauf, was es braucht, um ein unabhängiges und selbstbestimmtes Leben führen zu können. Die Gen Z ist damit näher an dem ursprünglich Humboldtschen Ideal als unser Bildungssystem. Den Nachwuchskräften geht es um die Entfaltung der persönlichen Fähigkeiten und Talente – für sich selbst und andere. Für sie bedeutet »lebenslanges Lernen« damit auch, aber eben nicht nur, fachliche Expertise und methodische Exzellenz stetig auszubauen. Ihnen geht es vornehmlich um das wachsende Geschick, Zukunft zu gestalten. Hierin begründet sich auch der Anspruch, in der dafür benötigten Metakompetenz so gefördert zu werden, um situationsbezogen auf neue Herausforderung die Passung des eigenen Kompetenzprofils reflektieren zu können. Konkret bedeutet dies, dass die Gen Z erwartet, den eigenen Entwicklungsstand kontinuierlich gespiegelt zu bekommen, um den persönlichen weiteren Entwicklungsbedarf einschätzen und einfordern zu können.

Zelebrieren des Pippi-Langstrumpf-Prinzips

Dem Kompetenzerleben der Gen Z liegt eine besondere Haltung zugrunde. Eine Haltung, die Vorurteile bezüglich eines unpassend ausgeprägten Selbstbewusstseins der Gen Z schüren mag, uns allen jedoch zugleich unternehmerisch auch als Vorbild dienen kann: Die Gen Z lebt das Pippi-Langstrumpf-Prinzip! Sicher lassen sich nicht und sollten wir auch nicht alle Menschen bestimmter Jahrgänge über einen Kamm scheren. Was ich jedoch vielfach in unterschiedlichen Gründungslehre-Settings an (Hoch-)Schulen beobachten konnte, ist Folgendes: Egal, wie herausfordernd das Problem war oder um welche Aufgabe es sich handelte, auch wenn sie etwas noch nie gemacht haben, gehen viele aus der Gen Z erst einmal davon aus, dass sie es können. Stellen sie fest, dass dies nicht so ist, fallen sie in kein Inkompetenzloch, sondern sie entscheiden, ob sie es selbst lernen wollen oder jemanden suchen, die/der es schon kann, um mit dieser Person zusammen die Herausforderung anzugehen.

Zusammenspiel statt Zusammenarbeit

Die Gen Z verfügt teils über mehr digitale Kenntnisse als diejenigen, die über die digitale Transformation entscheiden. Sie engagiert sich für Themen, über die (wenn überhaupt) lange Zeit von anderen Generationen vornehmlich nur diskutiert wurde (Stichworte Nachhaltigkeit oder mentale Gesundheit). Mit einer auf Erfahrungswerten der Vergangenheit begründeten Antwort, *warum* sie etwas lernen sollen, kann sie daher häufig wenig anfangen. Ihr geht es vielmehr um ein zukunftsgerichtetes *Wofür*: Sie will nicht für Abschlüsse lernen, sondern um etwas verändern zu können. Ein Beispiel, wie dies gelingen kann, sind Business (Idea/Innovation) Challenges. Bei aller Unterschiedlichkeit der Themen sowie zeitlichen und didaktischen Formate gleichen sich Business Challenges in einem Punkt: Angeleitet von Fach-/Methodentrainer:innen und begleitet von Lerncoaches erwerben die Teilnehmer:innen im interdisziplinären Austausch mit den Fallgeber:innen konkret auf ein reales unternehmerisches Problem bezogen Wissen und Kompetenzen. Anstelle einer Zusammenarbeit der Jungen als Noviz:innen und der Älteren als Expert:innen rückt ein kollaboratives Zusammenspiel aller beteiligten Generationen als von- und miteinander Lernenden auf Augenhöhe. Zukunftsgestaltung findet damit als Teil eines gemeinsamen stetigen Lernprozesses und nicht diesem parallel geschaltet statt – sowohl innerhalb von Unternehmen (Intrapreneurship) als auch als Impuls für deren Entstehung (Entrepreneurship).

JULIA REUSS

Dr. Julia Reuss verantwortet seit Februar 2021 Metas Regulierungsmanagement, seine Policy- und Innovationsstrategie in 28 Ländern Zentraleuropas. Zuvor hatte sie Führungspositionen im Deutschen Bundestag, Bundesverkehrsministerium und im Bundeskanzleramt inne und vertrat die Deutsche Bahn für vier Jahre in Paris. Sie studierte Politik in Wien, Washington, D.C. und Berlin und wurde an der FU Berlin promoviert. Ihre Leidenschaft gehört den technologischen Innovationen und wie sich diese für unsere Gesellschaft gewinnbringend einsetzen lassen.

Selbstbewusst, weltoffen und idealistisch. Wieso wir die Gen Z brauchen

Ich erinnere mich, dass vor einiger Zeit Videos in den sozialen Medien viral gingen, die auf besonders amüsante Weise die Auswirkungen des technologischen Fortschritts der vergangenen 20 bis 30 Jahre zeigten. Ihre Komik beruht auf dem Unterschied zwischen zwei Generationen, die nur knapp zehn Jahre auseinander sind. Jedes Video zeigte Jugendliche oder junge Erwachsene, die von älteren Menschen vor ein Drehscheibentelefon gestellt und gebeten wurden, es zu benutzen. Allesamt standen sie ratlos da und versuchten zu erraten, welche »Knöpfe« man drücken muss, um eine Verbindung mit einem anderen Menschen herzustellen – vergeblich. Natürlich lacht man darüber als Person, die früher jeden Tag den Zeigefinger in die Drehscheibe steckte, drehte und auswendig die Festnetznummer der besten Freundin wählte. Man wundert sich darüber, dass dieser Vorgang für manche Menschen, die gar nicht so viel jünger sind als man selbst, nicht intuitiv ist.

Aber dann denkt man weiter – und sofort fällt einem ein, wie viele andere Handgriffe die jungen Leute, die Angehörigen der Generation Z, ganz natürlich erledigen. Sie begreifen intuitiv zahlreiche Prozesse, priorisieren anders und hinterfragen Zustände, die ich beispielsweise einfach für gegeben hingenommen habe. All diejenigen, die zwischen 1995 und 2010 geboren wurden, sind die ersten wirklichen Digital Natives – und allein dadurch verfügen sie über Fähigkeiten, die sie für die aktive, digitale Transformation unserer Lebenswelt ideal ausstatten.

Aber nicht nur ihre digitalen Fähigkeiten, auch die sozialen und politischen Impulse, die sie setzen, verleihen ihnen die besten Voraussetzungen, um eine Zukunft zu bauen, die wir uns noch nicht mal ansatzweise vorstellen können. Sie sind die Menschen, die mit dem Internet, neuen Technologien und sozialen Plattformen aufgewachsen sind. Sie haben durch diese sozialen Plattformen zusammengefunden und gestalten sie von Beginn an entscheidend mit. Nicht zuletzt, weil sie Plattformen und die Standards von Gerechtigkeit, Gender, Body Image und vielem mehr in Politik, Wirtschaft und Gesellschaft hinterfragen. Dadurch ist eines glasklar: Wir als Gesellschaft brauchen die Generation Z. Nur mit ihrer Hilfe können wir verantwortungsvoll gestalten, wie wir uns verbinden, arbeiten, einkaufen und unsere Freizeit verbringen.

Wie komme ich auf diese Gedanken? An einem Samstag im Herbst setzte ich mich in den Zug von Berlin nach Bayern. Es war ein langes Wochenende – Montag war frei, weil Meta an den amerikanischen Feiertagen allen Mitarbeitenden weltweit freigibt –, und trotzdem musste ich noch einiges für die Arbeit erledigen. Ich klappte meinen Laptop auf und legte los, als sich irgendwo in Mitteldeutschland eine Gruppe junger Erwachsener hinter mich setzte. Die Unterhaltung war recht angeregt, und ich habe das ein oder andere aufgeschnappt, das mich zum Nachdenken brachte.

Zu hohe Ansprüche? Think again!

Grundsätzlich ging es um Pläne für die Zukunft. Die drei besprachen, wo und woran sie gerne arbeiten würden, wo nicht und warum. Über das Gespräch hinweg herrschte Einigkeit über drei Dinge:

1. Die Arbeit soll nicht nur Spaß machen und kreativ sein, sondern auch einen Unterschied im Kampf gegen die Probleme der Welt wie Intoleranz, den Klimawandel und Ungleichheit machen, und das fängt beim/bei der Arbeitgeber:in an.
2. Die Arbeit soll fair bezahlt sein.
3. Und sie darf nicht zu viel Zeit in Anspruch nehmen.

Klingt ziemlich anspruchsvoll, das Leben ist ja immerhin kein Zuckerschlecken! Aber je länger die Fahrt dauerte, desto unsicherer wurde ich, die Aussagen der drei als realitätsferne Träume abzutun. Ich ertappte mich dabei, mich in dieser zufällig verfolgten Konversation wiederzuerkennen. Die »Ansprüche«, die diese Gruppe stellte, waren im Grunde mutige Ideale, die ich selbst verfolgte. Und wahrscheinlich waren es diese Ideale, die mich zu meinem aktuellen Arbeitgeber brachten. Wenn niemand hinterfragt und fordert, etwas zu verändern, wie soll es dann jemals Wirklichkeit werden?

Mir fiel auf, wie stark meine eigene Arbeitsrealität mit dem übereinstimmt, was die drei sich wünschten. Bei Meta arbeite ich mit internationalen Teams an spannenden, herausfordernden und neuen Themen, die weltweite Auswirkungen haben. Was dabei besonders schön ist: Jedes Teammitglied, sein Talent und sein Input spielen eine entscheidende Rolle. Wenn es um den besten Lösungsvorschlag geht, ist es zweitrangig, von wem der Vorschlag kommt. Diversität nimmt einen großen Stellenwert ein. Und das nicht nur, weil Meta tatsächlich Mitarbeiter:innen aus der ganzen Welt mit sehr unterschiedlichen Lebensentwürfen anzieht.

Diese Diversität liegt zum einen sicherlich am Kernprodukt: Meta verbindet Menschen weltweit und gibt Menschen eine Stimme. Dabei ist es egal, welche Hautfarbe man hat, welcher Religion man nahesteht, welcher sexuellen Orientierung und welcher Gruppe man sich zugehörig fühlt. Diese Offenheit wird firmenintern wertgeschätzt und gelebt. Es gibt alle denkbaren Communities, von aller denkbaren Vielfalt. Diese organisieren sich – ähnlich wie auf Facebook – in Gruppen. Diese Gruppen tauschen sich regelmäßig aus und laden externe Gäste als Impulsgeber:innen ein, alles virtuell, versteht sich. Das ermöglicht eine grenzenlose Offenheit, die befreit, beflügelt, inspiriert und Gemeinschaft und Toleranz stiftet. Bei welchem/welcher Arbeitgeber:in hat man schon die Möglichkeit, frei zu wählen und sich jenseits des eigenen, üblichen Interessenfeld es mit Dingen zu beschäftigen, um den Horizont zu erweitern? Und das nicht nach »Feierabend« oder in der »Mittagspause«.

Es wird ausdrücklich gefördert, sich in Communities einzubringen. Diese Art von Engagement ist sogar Teil der Zielvereinbarungen. Ich selbst bin Mitglied in ganz unterschiedlichen Gruppen und habe mir bewusst solche ausgesucht, bei denen ich mich mit Menschen austauschen kann, denen ich im Alltag kaum begegnen würde. Ich persönlich empfinde das als eine enorme Bereicherung und könnte mir gar nicht vorstellen, ohne diesen kreativen und inspirierenden Input zu arbeiten. Vielen meiner Kolleg:innen geht es ähnlich. Daher ist es nahezu ausgeschlossen, dass jemand (wieder) zu einem/einer »konventionellen« Arbeitgeber:in wechseln würde.

Zudem spielt es keine Rolle, wo man arbeitet. Sicher, jede:r ist einem festen Bürostandort zugewiesen, schon aus steuerlichen Gründen. Darüber hinaus hat jedoch jede:r Mitarbeiter:in eine bestimmte Anzahl von Tagen im Jahr, an denen man von einem anderen Land aus arbeiten kann. Nicht selten sehe ich bei Videocalls mit Kolleg:innen im Hintergrund ein Surfbrett in der Ecke oder eine Palme. Das ist völlig normal und kommt dem Freiheitsgefühl vieler unserer Mitarbeiter:innen entgegen. Getreu dem Motto: Es geht nicht darum, wo du deinen Job machst, sondern dass du ihn machst. Als Führungskraft ist es mir einerlei, von wo aus sich meine Mitarbeiter:innen zuschalten. Schließlich sind meine Teams ohnehin über ganz Zentraleuropa verteilt. Und ich unterstütze es ausdrücklich, wenn meine Mitarbeiter:innen in andere Länder reisen, dadurch Input bekommen, sehen, wie Probleme dort gelöst werden, und inspiriert wieder nach Hause zurückkehren.

Mein Job bei Meta ist es, Hand in Hand mit Ingenieur:innen neue Produkte zu entwickeln. Meine klugen Kolleg:innen übernehmen das Programmieren. Meine Aufgabe ist es, in einem ganzheitlichen Ansatz sicherzustellen, dass meine »Nicht-Techie-Policy-Perspektive« von Anfang an mit einfließt; dass Themen wie Datenschutz und Datensicherheit von Projektbeginn mitgedacht werden; dass ethische Überlegungen und Werte wie Nachhaltigkeit bei Problemlösungen mitberücksichtigt werden; mein Job ist enorm vielfältig, aber vor allem habe ich »Impact«. Ich weiß, ich kann etwas zum Positiven verändern, wenn wir an der Lösung hochkomplexer Probleme arbeiten, für die es häufig keine Schwarz-weiß-Antwort gibt. Und das ist genau das, was auch die Gruppe junger Erwachsener aus dem Zug will: Impact. Deshalb hat die Generation Z Recht mit ihren Ansprüchen und Forderungen an ihre zukünftigen Arbeitgeber.:innen.

Die Generation Z treibt uns an, Veränderungen vorzunehmen, die letztlich notwendig sind, um zukunftsfähig zu sein – in Bezug auf Innovationskraft und in Bezug auf Problemlösungsfähigkeit für die drängendsten Probleme unserer Zeit.

Die Gründungsgeneration der Zukunft

Die Gen Z hat die digitalen Plattformen, die sie täglich nutzen, von Anfang an mitgestaltet und ist geprägt von der sich daraus ergebenden Verbundenheit. Gerade diese Verbundenheit hat den jungen Menschen dazu verholfen, zu einer weltoffenen, selbstbewussten und idealistischen Generation heranzuwachsen. Derweil entwickeln sich unsere Technologien rasant weiter. Wir befinden uns in einer entscheidenden Phase der digitalen Transformation hin zur Zukunft im Metaversum, in die nächste Evolution der sozialen Technologien und des mobilen Internets. Technologien des Internets haben es uns ermöglicht, erst einander zu schreiben (E-Mail), dann rund um den Erdball zu sprechen (Skypen, WhatsApp-Calls …) und jetzt zu sehen (Videocalls). Das Metaversum wird uns nun das Gefühl geben, dass wir einen gemeinsamen Raum teilen. Bis dahin ist es noch ein langer Weg – umso wichtiger ist es, diesen Weg mit den jüngsten und kommenden Generationen zu gehen. Denn ich glaube, die ersten wahren Digital Natives haben nicht nur die natürlichen Fähigkeiten, die nächste technologische Revolution in verantwortungsvolle Bahnen zu leiten und das Metaversum zu einem sicheren Ort zu machen, der neue Potenziale birgt. Sie verteidigen auch die mutigen und optimistischen Ansprüche, die wir dafür brauchen. Sie sind die Gründergeneration der Zukunft. Wir wären verrückt, wenn wir ihnen in unseren Unternehmen keinen angemessenen Raum gäben.

HEINER THORBORG

Heiner Thorborg ist seit 1989 als selbstständiger Personalberater mit Sitz in Frankfurt und Zürich tätig. Seitdem berät er deutsche und internationale Konzerne und Familiengesellschaften bei der Besetzung oberster Führungspositionen. 2007 gründete er die Initiative Generation CEO.

Z steht für Zukunft – und damit für Hoffnung

»Habe Hunger. Suche Arbeit. Mache alles.« Mit solchen Schildern standen vor bald 100 Jahren junge Leute an den Straßenecken. In der Weimarer Republik konnte eine »überflüssige Generation« – geprägt von den Nachwehen des Ersten Weltkriegs, einer Weltwirtschaftskrise und massenhafter Verelendung – auf einem überfüllten Arbeitsmarkt nicht Fuß fassen. Tausende beendeten ihr als nutzlos empfundenes Leben, wer Arbeit hatte, rödelte oft 50 Stunden und mehr für einen Hungerlohn.

Und heute? Gibt es zum Glück genug interessante Aufgaben, und viele Arbeitgeber:innen suchen Menschen mit Persönlichkeit und Begeisterungsfähigkeit. Motiviert sollen sie sein, die jungen Wunschkandidaten für künftige Leistungsträgerrollen. Teamfähig und gestaltungsfreudig, gern auch auslandserfahren und fähig, in einem divers besetzten Arbeitsumfeld produktiv ihren Beitrag zu leisten. Kurz: Sie sollen Lust auf eine Position haben, in der sie etwas reißen können. Dafür werden heute solide Arbeitsverhältnisse geboten, abwechslungsreiche Projekte und ziemlich coole Gehälter.

Lieber Beamte als Unternehmer?

Doch das mit der Rekrutierung gestaltet sich in vielen Fällen schwierig, denn viele Vertreter:innen der Generation Z interessiert das nicht so recht. Laut einer Befragung von Ernst & Young (EY) vom Dezember 2020 unter 2 000 Studierenden streben 26 Prozent das Beamt:innendasein an, in die Autoindustrie zieht es 12 Prozent, bei Banken wollen 6, bei Versicherungen nur 4 Prozent arbeiten.

So richtig gut geht es der »Generation Z« sowieso nicht. Laut Selbstbeschreibung durch ihr Sprachrohr Valentina Vapaux im gleichnamigen Buch schwankt die Jugend »zwischen Selbstverwirklichung und Insta-Einsamkeit«. Die Corona-Pandemie mag eine Rolle dabei gespielt haben, die Jungen zu verunsichern: »Die Erfahrungen der Krise haben dazu geführt, dass Hochschulabsolventen bei der Berufswahl so sicherheitsorientiert sind wie nie zuvor«, kommentiert EY-Personalexperte Oliver Simon.

Eine Elterngeneration, die unter Erziehung nur noch »fördern«, aber nicht mehr »fordern« versteht, hat zudem nicht gerade dazu beigetragen, stabile Persönlichkeiten heranzuziehen, die Lust am Gestalten haben und bereit sind, Verantwortung für wohlkalkulierte Risiken zu übernehmen, wenn der Erfolg lockt.

Die CEOs von morgen kommen nicht aus Deutschland

Das wäre nun alles nicht so schlimm für den deutschen Nachwuchs, wenn er an der Uni unter sich wäre. Ist er aber nicht. Laut Studentenwerk war Deutschland 2019/20 das wichtigste nicht englischsprachige Gastland für ausländische Studierende. Ihr Anteil liegt bereits bei über 11 Prozent – und von denen wollen 92 Prozent auch ihren Abschluss in Deutschland machen. Das legt nahe, dass viele dieser jungen, risikobereiten, mehrsprachigen Ausländer:innen auch gerne bei uns bleiben, leben und Karriere machen wollen. Die meisten kommen aus China, auf Platz 2 befindet sich Indien, danach kommt Syrien. (Deutsche studieren auch gerne im Ausland, aber am liebsten in Österreich, den Niederlanden, Großbritannien und der Schweiz, also auch hier so risikobefreit wie irgend möglich.)

Unter diesen Voraussetzungen ist die Vorhersage nicht schwer, dass unsere CEOs von morgen aus Osteuropa, Asien oder dem Mittleren Osten kommen werden. Von Orten jedenfalls, an denen der Nachwuchs noch nicht so verzärtelt aufwächst und weiß, dass sich Erfolg in der Regel erst nach harter Arbeit einstellt. Chefs werden Menschen, die tatsächlich Lust haben zu arbeiten – und nicht etwa nur noch dann arbeiten wollen, wenn sie Lust dazu haben.

Homeoffice, nein danke!

Als Experten für alles Digitale könnten die Jungen tatsächlich die Gewinner der technologischen Entwicklung sein, und gleichzeitig lehnen laut einer Befragung von LinkedIn gerade die Digital Natives 2.0 die Arbeit im Homeoffice mehrheitlich ab. Fast die Hälfte würde lieber ausschließlich im Büro arbeiten (11/2021) – vermutlich hocken die Vertreter:innen der Generation Z derzeit zu viel alleine vor dem Bildschirm und sind dort noch verunsicherter als die Kohorten vor ihnen. 70 Prozent der jungen Altersgruppe erwarten dennoch, dass ein Arbeitgeber ihnen die Möglichkeit zur Heimarbeit grundsätzlich bietet. Motto: Wir bestehen auf das Angebot, wollen es aber nicht nutzen! Bildung und ein guter Job gelten ihr als zentrale Lebensthemen, aber laut einer Umfrage von Goldman Sachs plant ein Viertel der Generation Z, bis zum Alter von 55 Jahren in Rente zu gehen.

Unsicherheit ist auch Offenheit

Die Arbeitgeber wissen das natürlich alles – und viele altgediente Personaler winden sich mit Grausen. Da sie jedoch in vielen Bereichen mehr Stellen als gute Bewerber:innen haben, geht es nun darum, die Jungen zu motivieren, tatsächlich mehr zu wollen als den Beamtenstatus.

Wohl wahr, die Generation Z steckt voller Widersprüche und Ängste. Die gute Nachricht ist jedoch: In all diesen Irrungen und Wirrungen der Generation Z steckt auch eine Chance: Unsicherheit ist eben auch Offenheit; viele Probleme tragen die Chance einer Lösung in sich, man muss sie nur entdecken; Krisen sind nicht zuletzt die Aufforderung, nach neuen Wegen zu suchen. Und dafür braucht die Welt die Jugend.

Bewegen müssen sich beide Seiten

Unternehmen, die es schaffen, die Generation Z anzusprechen und ihnen gleichzeitig Jobsicherheit und inhaltliche Herausforderungen zu geben, werden bei dieser Kohorte die Nase vorn haben. Bewegen müssen sich dafür jedoch beide Seiten: Die Jungen müssen verstehen lernen, dass Potenzialträger Leute sind, für die der Begriff Work-Life-Balance tatsächlich noch eine *Balance* beschreibt und nicht nur den Teil, der zwischen Uni, Beamtenstatus, Antritt des elterlichen Erbes und Frühverrentung stattfindet.

Die Arbeitgeber müssen diese Generation verstehen lernen und in ihrem Bewerbermarketing ehrlich und authentisch auftreten: Die Jungen sind stets online und finden Widersprüche in der Kommunikation wie ein Trüffelschwein die Pilze. Eine gute Bewerbererfahrung ist unerlässlich, ebenso wie eine offene, dynamische und glaubwürdige Unternehmenskultur. Wer Verantwortung will, sollte sie auch bekommen können – und nicht erst nach zehn Jahren subalternem Buckeln in einer rigiden Kultur, die Kontrollfreaks belohnt.

Wenn das klappt, werden die Jungen die politischen, ökonomischen, sozialen und wirtschaftlichen Probleme ihrer Eltern nicht nur erben, sondern auch anpacken. Was sich da Generation Z nennt, ist dafür gut vorbereitet: besser ausgebildet als jede Gruppe vor ihnen und in all ihrer Zerrissenheit auch sensibler und aktiver, als wir es ihnen zugestehen. Z steht für Zukunft – und damit für Hoffnung.

RICHARD SCHÄLI

Richard Schäli ist 2006 geboren und kaufte seine erste Aktie im Alter von sieben Jahren. Seither hat sich seine Anlagephilosophie dahingehend entwickelt, langfristig in fundamental hochwertige Technologieunternehmen zu investieren. Dieser Philosophie folgend, verwaltet er Vermögen von Ultra-high-net-worth individuals. Nebenbei besucht er die neunte Klasse eines Gymnasiums.

Generationswechsel in der Arbeitsmoral

Die Zeiten, in denen Arbeitskräfte praktisch wunschlos, unkompliziert und ausnahmslos engagiert waren, sind zu Ende. Mit der Zunahme des sozialen Wohlstands stiegen auch die Bedürfnisse der Generationen. Die Babyboomer forderten eine gesündere Work-Life-Balance; die Generation Y wollte flexiblere Arbeitszeiten und bei kreativen Schlüsselentscheidungen einbezogen werden, während die Generation Z es bereits als eine Beleidigung empfindet, eine Excel-Tabelle führen zu müssen. Die wenigsten jungen Menschen sind heute noch daran gewöhnt, die harte Arbeit zu verrichten, wie es ihre Großväter noch taten.

Sprüche auf Instagram wie »Work smart, not hard« schüren diese Arbeitsmoral. Viele glauben, der Schlüssel für den Ausstieg aus dem Hamsterrad sei die Selbstständigkeit. Meist mit dem eigenen Start-up, das mittlerweile ja auch einfach zu gründen ist. Die Anforderungen seitens der Jüngeren an Unternehmen sind vehement gestiegen. Niemand will in einer Organisation voller repetitiver Arbeit gefangen sein.

Der Wunsch nach schnellem Erfolg ist bei der Gen Z eklatant. Beeinflusst durch das Paradigma, diesen Erfolg auch mit leichter Arbeit zu erreichen, ist es für den/die Arbeitgeber:in schwierig, die Gen Z für die notwendige Arbeit noch zu begeistern.

Unersättlich nach Herausforderungen

Ich selbst bin ein 2006 geborener Gen Zler und war bereits im Alter von zehn Jahren vom Unternehmertum begeistert. Ich war ehrgeizig und bin es bis heute geblieben. Ich beschloss, mit meinem wachsenden Wissen über die Finanzmärkte Vermögen zu verwalten. Anfangs mit Geld aus der Familie, inzwischen für die einflussreichsten Wirtschaftsmagnaten unserer Zeit.

Für mich persönlich war es immer klar, dass ich meine eigenen Ideen verfolgen wollte. Mit diesem Gedanken war ich vielleicht früh für mein Alter unterwegs, bin aber mittlerweile deutlich nicht mehr der Einzige. Der Grund dafür liegt in den unbeschwerten Verhältnissen, in denen ich und die gesamte (westliche) Generation Z aufwachsen durfte. Das führt eindeutig zu dem Wunsch nach Herausforderungen, es führt zu dem Wunsch zu beweisen, dass man selbst aus seiner wohlsituierten Situation etwas die Welt Voranbringendes erreichen kann.

Zum Zeitpunkt der Veröffentlichung dieses Buches befinde ich mich in der neunten Klasse des Gymnasiums, und wie viele andere mache ich mir natürlich Gedanken darüber, was nach der Matura kommen wird. Früher war es üblich, direkt nach dem Studium erste Erfahrungen in einem Unternehmen zu sammeln. Doch der Trend zeigt für unsere Generation ein anderes Bild. Die Wahrscheinlichkeit, dass US-Student:innen nach ihrem Abschluss ein eigenes Unternehmen gründen, ist fünfmal höher als noch vor 20 Jahren.

Auch wenn sich die meisten dieser Start-up-Gründer:innen nach den ersten Misserfolgen entscheiden, in das traditionelle Berufsleben einzutreten, wird es immer den Wunsch geben, etwas auf eigene Faust zu schaffen und sich nicht einer großen Organisation unterordnen zu müssen.

Als Unternehmen bieten, was ein Start-up ausmacht

Ich habe mich oft gefragt, was mich daran hindert, in einem bereits etablierten Unternehmen zu arbeiten. Und obwohl die Erwartungen an die eigene Arbeit von Mensch zu Mensch variiert, denke ich, dass ich für meine Generation spreche, wenn ich sage, dass ich den Unternehmergeist, die Start-up-Kultur und die Agilität eines eigenen kleinen Projekts bei einem großen Unternehmen vermissen würde. Meine Generation fürchtet das Immergleiche und Repetitive im Alltag. Wenn es an Sinnhaftigkeit fehlt, nimmt die Produktivität und die Begeisterung für die Arbeit stark ab.

Ich denke jedoch, dass Technologie einen großen Beitrag zur Lösung dieses Problems leisten wird. So kann die Prozessautomatisierung (RPA) mit sogenannten Software-Robotern dazu führen, dass Talente nicht mehr für administrative Aufgaben verschwendet werden.

Talente wollen in wichtige Entscheidungen einbezogen werden. Sie möchten in der Lage sein, das Unternehmen in eine bestimmte Richtung zu lenken. Durch die Beteiligung an strategischen Entscheidungen kann jedes Unternehmen zeigen, dass es den Meinungen seiner Mitarbeiter:innen vertraut und sie wertschätzt, was wiederum das Engagement der Mitarbeiter:innen fördert.

Sobald ein Unternehmen eine gewisse Größe erreicht hat, kann es schwierig werden, allen Stimmen Gehör zu verschaffen. Deshalb ist es eine Überlegung wert, einen Ausschuss zu bilden. Auf diese Weise können Mitarbeiter:innen aus den verschiedenen Abteilungen, die oft näher an den operativen Problemen dran sind, Änderungen vorschlagen. Diese können dann intern abgestimmt werden, und wenn die Änderungen umgesetzt werden, zeigt das, dass den Ideen der Mitarbeiter:innen Gehör geschenkt wird und man sich um ihre Zufriedenheit kümmert.

Die Art und Weise, wie ein Unternehmen geführt wird, kann sich stark verbessern, wenn Mitarbeiter:innen eine Stimme gegeben wird. Mitarbeiter:innen sollten die Möglichkeit haben, ihre Arbeitszeiten selbst festzulegen. Dies wird die Produktivität stark steigern. Als Frühaufsteher ziehe ich es zum Beispiel vor, meine Arbeit früh am Morgen zu erledigen, oft noch vor der Schule. Solange jede:r eine bestimmte Anzahl von Stunden arbeitet und die Qualität der Arbeit nicht beeinträchtigt wird, gibt es keinen wirklichen Grund, die Arbeitszeiten zu begrenzen.

Emotionale Bindung zum Unternehmen schaffen ist das A und O

Die Freude und die emotionale Bindung, die jemand mit seinem eigenen Start-up erfährt, sind extrem hoch. Für ein Unternehmen wird es schwierig, diese Bindung zu reproduzieren. Man könnte sogar sagen, dass sie einem Unternehmen für immer verschlossen bleiben wird. Den

Mitarbeiter:innen das Gefühl zu vermitteln, dass sie bis zu einem gewissen Grad selbstständig sind, ist komplex und alles andere als einfach. Den Mitarbeiter:innen eine Stimme zu geben, ihnen mehr Flexibilität bei den Arbeiten und den Arbeitszeiten zu offerieren, sind jedoch erste Schritte, mit denen man in die richtige Richtung gehen kann. Selbstverständlich ist das kein Allheilmittel, um Talente anzuziehen und sie schließlich genauso erfolgreich zu halten. Die Gen Z legt großen Wert auf die von mir oben erwähnten Dinge. Sich keine Gedanken zu machen, wie man sie im eigenen Unternehmen implementieren könnte, wäre fatal.

JULIUS DE GRUYTER

Julius de Gruyter (Jahrgang 2001) ist Mitgründer der Anti-Mobbing-App Exclamo, die er während seiner Schulzeit gegründet hat, sowie der psychosozialen Beratungsplattform Krisenchat. Für seine Arbeit bei Krisenchat wurde er vom Deutschen Startup-Verband als »Social Entrepreneur des Jahres« ausgezeichnet. Seit 2021 studiert er BWL an der WHU in Vallendar.

Warum Gen Z ihre Probleme selbst in die Hand nimmt, anstatt sie anderen zu überlassen

Von der Schulbank in den Berliner Co-Working-Space

Wenn ich nur eine Eigenschaft nennen dürfte, mit der ich die Gen Z beschreiben soll, dann wäre es ihr aktivistischer Charakter, ihre Art und Weise, »einfach anzufangen«.

Die Klimakrise, mentale Gesundheit, die Spaltung der Gesellschaft sind die großen Herausforderungen unserer Zeit. Beflügelt durch die Möglichkeiten der digitalen Medien sehen wir immer wieder neue Projekte sowie Gründungen von jungen Gen Zler:innen. Vermeintlich fehlendes Wissen spielt keine Rolle, teilweise werden fast schon naiv große Visionen verbreitet. Aber mit Erfolg: Denn aus diesen Visionen sind Millionenbewegungen wie Fridays for Future geworden.

Ich selbst habe noch in der Schulzeit meine erste Firma gegründet und nach dem Abitur mit zwei Schulfreunden als Mitgründer zwei Jahre lang Vollzeit an der Mental-Health-Beratungsplattform Krisenchat gearbeitet, anstatt direkt zu studieren – und es keinen Tag bereut.

Aber woher kommt dieser Wille der Gen Z, die großen Herausforderungen selbst in die Hand zu nehmen? Und wie geht sie dabei vor? Anhand meiner Erfahrungen seit der Gründung von Krisenchat will ich diese Aspekte beleuchten.

Gen Z packt selber an, weil andere ihre Probleme links liegen lassen.

Es ist Juni 2018. Kai (mein späterer Mitgründer) und ich sitzen auf einer Berliner Parkbank. Wir hatten gerade ein Jahr mit einem Businessplan-Wettbewerb verbracht, bei dem man eine Geschäftsidee ausarbeitet und am Ende einer Jury vorstellt.

Kai fragte mich, ob ich nicht Lust hätte, die Idee für eine Anti-Mobbing-App an Schulen auch in der Realität umzusetzen und neben der Schule an der Umsetzung zu arbeiten. Ohne viel nachzudenken, sagte ich ganz enthusiastisch einfach »Ja, klar«, ohne zu wissen, auf was ich mich einlassen würde. Wir holten als weiteren Mitgründer noch unseren Schulfreund Jan mit an Bord, der sich im Alter von zwölf Jahren selbst beigebracht hatte zu programmieren (auch eine typische Gen-Z-Story).

Sehr oft kann man bei Gründungen aus der Generation Z beobachten, dass sich die Ideen mit Themen befassen, die sie ganz konkret persönlich betreffen.

So war es auch bei der Anti-Mobbing-App Exclamo. Kai, Jan und ich haben alle das Canisius-Kolleg in Berlin besucht. Im Januar 2010, in dem Jahr bevor wir auf die Schule gekommen sind, wurden die Missbrauchsfälle von Jesuitenpatern an Schülern dieser Schule in den 70er Jahren publik – ein bundesweiter Skandal, der auch das Schulleben umkrempeln sollte. Wir sind also in einem Klima der Aufklärung an die Schule gekommen, mit jährlichen Präventionstagen, Berichten von Missbrauchsopfern und diversen Anlaufstellen und vertrauensvollen Ansprechpartner:innen.

Zwar war diese Aufklärung wichtig und hilfreich, aber gefehlt hat ein Weg, sich einfach und bei Bedarf anonym bei den angebotenen Anlaufstellen zu melden. Die Schulwelt war einfach noch nicht in der Digitalisierung und dem Zeitalter der Smartphones angekommen. Durch die Corona-Pandemie ist unser Vertriebskanal Schulen komplett eingebrochen. Unser Geschäftsmodell war darauf ausgelegt, die App als B2B-Produkt an Schulen zu verkaufen, die das System dann bei sich einführen konnten. Trotz vielseitigem Interesse, Funding und einem fertigen Produkt haben wir uns entschieden, einen Pivot zu vollziehen: Von einem Tag auf den anderen mussten wir uns umstellen und sind dann auf die Idee für Krisenchat gekommen. Wir hatten festgestellt, dass es beim Thema mentale Gesundheit keine 24/7 erreichbaren Anlaufstellen für Kinder und Jugendliche per Chat gab. Zwar gab es großartige Angebote wie die Nummer gegen Kummer oder die Telefonseelsorge, aber nichts lief über das native Medium der Kinder und Jugendlichen der Gen Z: den WhatsApp-Chat.

Uns war klar, dass wir durch das Wissen aus unserer Arbeit bei Exclamo die Möglichkeit hatten, unser Netzwerk zu aktivieren und auf Social Media sowie in der Presse Vollgas zu geben, um unsere Idee Wirklichkeit werden zu lassen. Innerhalb von vier Wochen haben wir es geschafft, ohne Werbeausgaben über 100 Krisenberater:innen für unseren Chat zu rekrutieren und das Produkt zu bauen. Seitdem sind wir rund um die Uhr täglich online und konnten bereits über 20 000 Kindern und Jugendlichen im deutschsprachigen Raum helfen.

Der Grund, warum die Gen Z ihre Probleme also selbst in die Hand nimmt, ist klar: Weil es andere sonst nicht tun.

Und warum? Bei der Digitalisierung des Schulwesens oder einem Chatangebot für mentale Gesundheit lässt sich nun eben nicht so einfach Geld verdienen. Bei uns lag der Fokus aber immer klar auf dem Impact und nicht auf dem Geld. »Das große Geld können wir auch noch später im Leben verdienen«, haben wir uns immer gesagt. Außerdem wohnten wir sowieso noch zu Hause, und solange unsere Eltern das tolerierten, hatten wir keine großen Ausgaben. Zudem ist die Gen Z viel näher an den ganzen Themen dran. Eine Gruppe aus älteren Leuten wird die junge Generation nie so gut ansprechen können wie die junge Generation selbst.

Es ist die Schnelligkeit und die Lernfähigkeit, welche die Gen Z auszeichnen. Man ist bereit, vieles für die eigene Idee zu opfern, gleichzeitig haben Gen-Z-Start-ups aber nicht die gleichen finanziellen Möglichkeiten wie Gründer:innen, die gerade von der Top-Universität kommen und zwei Jahre bei den großen Unternehmensberatungen gearbeitet haben. Das setzt große kreative Potenziale frei, weil man aus weniger mehr machen muss.

Das war auch bei uns der Fall. Daher haben wir lange Zeit einen radikalen Sparkurs eingeschlagen und teilweise extrem unkonventionelle Wege gefunden, die Ausgaben auf absoluter Sparflamme zu halten. Den Co-Working-Space bekamen wir umsonst, und das erste Logo holten wir uns bei der Dienstleistungswebsite Fiverr – für 90 Euro. Vulgär ausgedrückt, war unsere Prämisse am Anfang immer: »Marketing is like sex – only losers have to pay for it.« Unser Ziel war es, mit unserem winzigen Budget so viel Aufmerksamkeit in den (sozialen) Medien zu erzielen wie möglich. Und wir waren damit erfolgreich.

Auch wenn jetzt mehr Geld bei Krisenchat zur Verfügung steht: Diese Einstellung ist bis heute hilfreich. Jedes Unternehmen kann davon profitieren, bei wichtigen Entscheidungen die Gen Z einzubinden und vielleicht auf eine Idee zu kommen, die nur halb so teuer ist wie der ursprüngliche Plan.

Das klingt alles wie eine einzige Erfolgsstory, aber natürlich haben wir auch einige Fehler gemacht. Bei unserer ursprünglichen Idee Exclamo zum Beispiel haben wir es über ein Jahr nicht geschafft, das Produkt fertigzustellen. Der Fokus hat einfach gefehlt. Wir sind nach und nach an dieser Herausforderung gewachsen und hatten dann bei Krisenchat direkt die Chance, es besser zu machen.

In Zeiten von TikTok sehe ich stark den Trend, dass die Aufmerksamkeitsspanne von Kindern und Jugendlichen sinkt. Die Begeisterungsfähigkeit ist zwar hoch, es fällt jedoch schwer, sich auf ein Thema zu fokussieren, da sofort wieder zehn neue spannende Themen auftauchen. Ein Problem, mit dem also nicht nur wir zu kämpfen hatten, sondern auch viele andere in der Generation.

Jede:r Gen Zler:in sollte unternehmerisch denken können – aber nicht jede:r muss Unternehmer:in sein

Die Erfahrungen, die wir sammeln durften, haben uns zu den Menschen gemacht, die wir heute sind. Dadurch, dass sowohl wir als Gründer als auch die Zielgruppe von krisenschat der Gen Z angehören, konnte ich extrem viel über Arbeitsweise der Gen Z lernen.

An erster Stelle steht bei Gen Z das »Warum«. Die Ideen kommen aus ganz persönlichen Geschichten und Erfahrungen. Gen Z will das anpacken, was bisher von den älteren Generationen liegen gelassen wurde. Es geht hierbei primär um das Bekämpfen des Problems und nicht direkt ums Geld.

Der Grund, warum viele aus unserer Generation den Weg einer Unternehmensgründung oder das Starten einer Bewegung überhaupt gehen konnten, ist die Masse und Zugänglichkeit an Informationen im Internet. Das birgt aber auch große Gefahren: Es gibt deutlich mehr schlechte Tipps, Mentor:innen und Ressourcen im Internet als wirklich gute. Hier ist es nicht immer einfach zu erkennen, was einem wirklich weiterhelfen kann.

Daher dürfen Netzwerkbildung und Befähigung der Gen Z auf keinen Fall aus den Augen gelassen werden. Organisationen wie Startup

Teens, Jugend gründet oder business@school leisten hier schon großartige Arbeit, trotzdem ist noch ein langer Weg zu gehen.

Jede Organisation kann von Gen Z profitieren. Nicht jeder junge Mensch kann und soll Unternehmer:in werden. Aber die Art und Weise, durch neue, kreative Lösungen ans Ziel zu kommen, dafür sollte jede:r aus der Gen Z das Handwerkszeug haben. Meine Generation muss sich empowered fühlen, diese Ideen auch einzubringen. Sie muss von der Sache überzeugt sein und das Gefühl haben, dass sie trotz des jungen Alters einen echten Platz am Tisch verdient.

HAUKE SCHWIEZER

Hauke Schwiezer ist Mitgründer und Geschäftsführer der NGOs Startup Teens und GenZ Talents. Seine Leidenschaft für Unternehmertum und Jugendförderung hat der SAP-Mitbegründer Dietmar Hopp geweckt. Bei dessen Jugendförderprojekt »Anpfiff ins Leben« erlebte Hauke Schwiezer als Marketingleiter einen großartigen Start ins Berufsleben, der ihn bis heute maßgeblich geprägt hat. Er ist startsocial-Bundespreissieger, LinkedIn Top Voice und Mitherausgeber des *Spiegel*-Bestsellers *Zukunftsrepublik*.

Jedes Unternehmen braucht Intrapreneurship und jemanden aus der Gen Z im Vorstand

Wir brauchen einen rasanten Wandel

Deutschland, Österreich und die Schweiz sind Länder, die über keine nennenswerten Rohstoffe der Zukunft verfügen, um weiter im internationalen Wettbewerb bestehen zu können – außer ihrem geistiges Kapital. In Deutschland, der mit Abstand bevölkerungsstärksten Nation im DACH-Raum und gegenwärtig noch viertstärkste Volkswirtschaft der Welt, gibt es gleich vier Komponenten, die einen an der Zukunftsfähigkeit zweifeln lassen.

1. Die demografische Entwicklung

Bis 2035 wird die Zahl der Menschen ab 67 Jahre um 22 Prozent steigen. Der Anteil an Menschen im Erwerbsalter von 20 bis 66 Jahren wird um bis zu 15 Prozent sinken. Es bräuchte jährliche Wanderüberschüsse von 480 000 Menschen, um diese Entwicklung zu kompensieren, davon 300 000 Personen zwischen 20 und 40 Jahren, wie destatis[1] ermittelte.

Der Wettbewerb um die Talente wird so hart werden, wie wir es uns heute noch gar nicht vorstellen können, und die Talente werden in einem absoluten Arbeitnehmer:innenmarkt gewinnen.

2. Das Befähigungsversagen

Dass Talente von entscheidender Bedeutung sind, hört man in nahezu jeder Rede von Vorständen, Familienunternehmer:innen und Politiker:innen. Was sie jedoch fast nie sagen, ist, woher diese als Ideen-

1 https://www.destatis.de/DE/Presse/Pressemitteilungen/2021/09/PD21_459_12411 html;jsessionid=DED3E11734F07DD1050AEF7A755B07EF.live742

umsetzer:innen und Problemlöser:innen in der Zukunft denn kommen sollen.

Im Global Entrepreneurship Monitor (GEM)[2] werden unterschiedliche Parameter einer Volkswirtschaft beleuchtet. Unter anderem, welchen Einfluss Entrepreneurship Education während der Schulzeit und mit Angeboten parallel zur Schule auf die zukünftige Entwicklung einer Nation haben. Nicht ganz überraschend weisen Länder, die im Entrepreneurship Education Ranking weit oben stehen – zum Beispiel die Niederlande, Finnland oder Norwegen –, nach der Schule mehr Gründungen auf. Diese sind nachhaltig erfolgreich, *und* sie haben eine ausgeprägte Intrapreneurship-Kultur.

Letzteres verwundert nicht, denn Entrepreneurship Education ist die Grundlage von Intrapreneurship, dem unternehmerischen Denken und Handeln von Angestellten in Unternehmen. Deutschlands Positionen befinden sich in diesem Ranking in den vergangenen Jahren maximal im Mittelfeld, oft sogar im hinteren Mittelfeld von mehr als 50 untersuchten Nationen.

Gibt es sie denn überhaupt, die deutschen Intrapreneur:innen?

Aus zwei Umfragen aus den Jahren 2019 und 2021 geht klar hervor, dass junge Deutsche sich sehr gut vorstellen können, eigene Ideen umzusetzen. Von den 49 beziehungsweise 64 Prozent gründen tatsächlich nur maximal 7 Prozent.[3] Der Hauptgrund dafür: **Sie fühlen sich in Schule und Ausbildung nicht befähigt, eigene Ideen umzusetzen und Probleme zu lösen.** Fehlendes Wissen bremst also den Gestaltungswillen.[4]

3. German Angst und mangelnde Fähigkeit zur Resilienz

Anstatt uns nun massiv um die Talente zu bemühen, sie zu befähigen und auch selbst hervorzubringen, werden wir vor dem so dringend notwendigen Wandel ausgebremst, bevor wir ihn überhaupt richtig begonnen haben, weil wir uns nicht trauen, damit zu starten.[5]

---

2 https://www.rkw-kompetenzzentrum.de/publikationen/studie/global-entrepreneurship-monitor-20202021/

3 https://t3n.de/consent?redirecturl=%2Fnews%2Fselbststaendigkeit-unternehmertum-junge-deutsche-bildung-1170824%2F

4 https://news.samsung.com/de/studie-fehlendes-wissen-bremst-gestaltungswillen-der-gen-z

5 https://www.dw.com/de/angst-studie-was-f%C3%BCrchten-die-deutschen-am-meisten/a-59111379

Auffällig ist, dass es trotz der aufkeimenden Erkenntnismomente von Unternehmen und Entscheider:innen signifikant an Mut, Umsetzungskraft und Resilienz fehlt, um eine Zeitenwende einzuleiten. Die Folgen können sein: a) die Gen Z entwickelt autark eine stark ausgeprägte Gründer- und Intrapreneurship-Kultur. Mit dem Nachteil, dass die hochrelevante Altersdiversität fehlt und eine ökonomische Spaltung entsteht. Oder b) wir weiter im Stillstand verharren und die Talente der Gen Z abwandern werden.

4. Wir verstehen die Gen Z nicht

In einer großen Studie[6] mit 4 000 Befragten im Jahr 2020 hat Startup Teens zusammen mit PlayTheHype junge Menschen im Alter von 16 bis 19 Jahren zu den Themen Schulbildung, Berufswunsch sowie persönlichen Job Skills befragt. Die Ergebnisse lassen auf viel Verbesserungspotenzial schließen. Bei der Frage etwa, ob sich die Teenager von der Schule optimal auf die zukünftige Berufswelt vorbereitet fühlen, ist das Ergebnis eine 3,7, also ein »Ausreichend«. 93 Prozent wissen nicht, was ein:e Intrapreneur:in ist.

Doch es gibt eben auch die positive Seite. 74,4 Prozent geben an, dass sie ihre eigenen Fähigkeiten gerne erweitern möchten, um eigene Ideen umsetzen zu können. 62,8 Prozent können sich vorstellen, später Führungsverantwortung in einem Job zu übernehmen, und 50 Prozent können sich vorstellen, ein eigenes Unternehmen zu gründen.

Dass die Gen Z ein so starkes Interesse hat, eigene Ideen umzusetzen, ist logisch, denn sie ist sehr gut ausgebildet, nachhaltig orientiert und sinnstrebend. Doch in unzähligen Gesprächen mit der Gen Z seit der Gründung von Startup Teens im Jahr 2015 wird klar, dass die älteren Generationen nicht verstehen, wie diese Generation denkt, kommuniziert, angesprochen und befähigt werden möchte und welche Tools sie dafür nutzen mag.

Ein Intrapreneurship-Programm in jedem Groß- und Familienunternehmen

Nach fast 15 Jahren leidenschaftlicher Arbeit mit jungen Menschen bin ich mehr denn je davon überzeugt, dass jeder junge Mensch ein außer-

6 www.haukeschwiezer.com/studie/

gewöhnliches Talent hat. Wir sind jedoch schwach darin, Talente in der Schulzeit frühzeitig zu erkennen und individuell zu fördern. Stattdessen lehren wir eher »stärke deine Schwächen« als »stärke deine Stärken« und produzieren damit viel Durchschnitt. Auf die Idee, dass junge Menschen, die vielleicht nicht gut in Deutsch und Mathe sind, diese Schwäche zum Beispiel beim Sport kompensieren und andere herausragende Stärken herausbilden, kommen wir nicht.

Gerade bei der Generation Z ist diese Fehleinschätzung verheerend. In den Generationen der heutigen Entscheider:innen, der Babyboomer (1946 bis 1964) und der Generation X (1965 bis 1980) war man es gewohnt, dass man Fähigkeiten zur Umsetzung von Ideen und der Lösung von Problemen erst mit vielen Berufsjahren erlernt – im Sinne von »Lehrjahre sind keine Herrenjahre«. Wissen stand nicht breit zur Verfügung, als junger Mensch hatte man in keiner entscheidenden Disziplin einen großen Vorteil gegenüber älteren Generationen.

Bei der Generation Y (1980 bis 1994) ist gerade unter den jüngeren Jahrgängen schon das festzustellen, was wir nun in der Generation Z bei Startup Teens täglich ganz stark erleben: Sie sind den Älteren in einem hoch zukunftsrelevanten Kompetenzfeld, der Digitalisierung, so hoch überlegen wie keine Generation zuvor.

Drei Erfolgsfaktoren

Um in Sachen Digitalisierung und Innovation in eine führende Position zu gelangen, braucht es eine außergewöhnliche Befähigungsoffensive, ein Intrapreneurship-Konzept, das von einem diversen Team entwickelt wurde, und Incentivierungs-Maßnahmen, welche die Zielgruppe wirklich reizvoll findet.

1. Corporates und Familienunternehmen müssen lernen, ihr gesellschaftliches und betriebliches Umfeld zu befähigen – von der Kita an

Firmen wie der Mittelständler Lamilux in Rehau bauen Kitas nach modernsten pädagogischen Erkenntnissen und machen sie für die

Allgemeinheit zugänglich. So werden Kinder bereits im Alter von drei bis sechs Jahren in Ideenumsetzungs- und Problemlösungskompetenzen gefördert. Lamilux ist es auch, die in 26 (!) Grundschulen im Umland den Viertklässler:innen auf eigene Kosten Programmieren beibringen lässt. Es sollte nicht verwundern, wenn sich im Landkreis Hof in zehn bis 15 Jahren zahlreiche junge Menschen als digitale Innovationstreiber:innen hervortun. Doch um das zu erreichen, brauchen wir im internationalen Vergleich flächendeckend sehr frühzeitige intensive Förderung.

Der SAP Mitbegründer Dietmar Hopp lebt eine ganzheitliche Jugendförderung über seine gleichnamige Stiftung, unter anderem mit der Unterstützung von »Anpfiff ins Leben« und dem Kindergarten Kinderreich in Zuzenhausen. Die ganzheitliche Kinder- und Jugendförderung gilt als führend in Europa. Nur ein geringer Prozentsatz der geförderten Drei- bis 19-Jährigen wird später den Lebensunterhalt mit Sport verdienen. Der überwiegende Teil wird sich als Arbeitnehmer:innen und Gründer:innen dank frühzeitiger Potenzialentfaltung durch Persönlichkeit und besondere Talente auszeichnen.

Auch ein Blick über den großen Teich lohnt sich, um klarzumachen, wie früh unternehmerisches Denken und Handeln in den USA und Kanada bereits gefördert wird. Der Lemonade Day, gegründet von Michael Holthouse, vermittelt der Kernzielgruppe der Acht- bis Zehnjährigen die gesamte Wertschöpfungskette von Limonade – von der Herstellung über die Vermarktung und den Verkauf bis hin zur Abrechnung. Seit Gründung im Jahr 2007 haben mehr als 1 Million Kinder die Förderung durchlaufen, völlig unabhängig von ihrer ethnischen Herkunft, ihrer Religion oder ihrem Geschlecht.

Es ist äußerst sinnvoll, bereits Schüler:innen im Umfeld eines Unternehmens mit Entrepreneurship/Intrapreneurship Education zu unterstützen – sei es über bestehende und teils bundesweit agierende Entrepreneurship-Education-Projekte oder regionale Projekte parallel zur Schulzeit. Das Gleiche gilt auch für Auszubildende und Duale Studierende sowie Young Professionals im eigenen Unternehmen, um eine Grundlage für Intrapreneurship zu legen.

Wichtig ist gerade auch die Erkenntnis, dass Talente gezielt gesichtet, identifiziert und gefördert werden müssen.

2. Das Intrapreneurship-Konzept darf nicht top-down übergestülpt sein

Es gibt zahlreiche organisatorische Ansätze, um Intrapreneurship in ein Unternehmen einzuführen, Strukturen aufzubauen und die Förderung von Innovation beispielsweise durch Design Thinking, Virtual Reality und Lean Startup voranzubringen.

Grundlage bei der Konzeption eines für das jeweilige Unternehmen ideal passenden Modells sollte die Erkenntnis sein, dass in den USA ein Viertel der Unternehmen, die sogenannte Einhörner werden – also eine Bewertung von mindestens 1 Milliarde US-Dollar haben –, von Menschen im Alter von 19 bis 24 Jahren gegründet werden. Dies zeigt, dass wir die Gen Z in einer digitalen Welt sehr ernst nehmen sollten und der Satz, dass junge Menschen oftmals Märkte, Produkte und Dienstleistungen sehen, bevor es ältere Generationen tun, nicht nur so dahingesagt ist.

Da die Gen Z einen Vorsprung bei digitalen Themen hat und anders kommuniziert als ältere Generationen, ist es vordringliches Ziel, ein Intrapreneurship-Konzept und dessen Implementierung gemeinsam mit der Gen Z zu konzipieren oder ein möglicherweise bestehendes mit ihr zu challengen.

Dabei sollte eine große Offenheit für digitale Tools vorherrschen. Es kann durchaus sinnvoll sein, den Mitarbeitenden zumindest zwei verschiedene Möglichkeiten aufzuzeigen, wie sie ihre Innovationen im Unternehmen entwickeln und kommunizieren können. Ob Mural, Miro, Slack, WhatsApp oder Design-Thinking-Workshops dafür geeignet sind oder ganz andere Tools und Plattformen, wird sich individuell zeigen.

Um schließlich die richtige Einbindung von Intrapreneurship für ein Unternehmen zu identifizieren, sollte ein sehr divers besetztes Projektteam initiiert werden.

3. Intrapreneurship braucht Anreize, die gerade auch die Gen Z gut findet

Was einer anderen Generation nicht so wichtig sein mag, ist für die Gen Z teilweise das Nonplusultra. Dazu zählen insbesondere Nachhaltigkeit, aber auch Benefits in den Bereichen Gesundheit, persönliche Entwicklung oder Soziales.

Der Königsweg, um für herausragende Köpfe und damit auch für Top-Talente als Unternehmen interessant zu sein, ist, bei bahnbrechenden Ideen, die dann auch tatsächlich umgesetzt werden, den Mitarbeitenden die Möglichkeiten zu geben:

- Aktien/Anteile am bestehenden Unternehmen (Muttergesellschaft) zu erhalten oder
- Anteile an einem Tochterunternehmen, das auf Grundlage der eigenen Ideen gegründet wurde.

Erstaunlich, dass besonders in Deutschland Corporates und Familienunternehmen diese stärkste Form der Incentivierung so selten einsetzen.

Die Themen Bonuszahlungen und Sabbatical sind nichts Neues, jedoch auch für die Digital Natives erstrebenswert, das Elektroauto umso mehr. Für die Gen Z und ihre nachhaltigen Interessen sind jedoch auch Incentivierungen denkbar, die so bislang nicht oder nur in abgewandelter Form zur Geltung kamen.

Die Triple Bottom Line zum Beispiel ist ein Konzept, mit dem Unternehmen ihre Beiträge zur nachhaltigen Entwicklung der Wirtschaft messen können. Sie erweitert das Unternehmensziel der Gewinnmaximierung um ökologische und soziale Ziele. Dieser Ansatz basiert auf dem Drei-Säulen-Modell, welches besagt, dass, um eine nachhaltige Entwicklung und Langfristigkeit in jeglichen Bereichen zu erreichen, die sozialen, ökologischen und ökonomischen Ziele einer Organisation gleichmäßig verfolgt werden müssen.[7]

Werden die Gewinne, die aus einer selbst eingebrachten Idee entstanden sind, danach zu je einem Drittel sozial, ökologisch und wirtschaftlich verteilt, lässt sich damit ein klarer Trend setzen. Die beteiligte Gen Z wählt die künftigen ökologischen und sozialen Projekte, die innerhalb und/oder außerhalb mit diesem Geld unterstützt werden, selbst aus – das sind Modelle, welche die Gen Z lockt und hält.

Persönlichkeitsentwicklung und Potenzialentfaltung sind für die Gen Z von entscheidender Bedeutung. Hier können vielschichtige Förderungen zur Belohnung von Erfolgen in Aussicht gestellt wer-

7 https://www.studysmarter.de/schule/wirtschaft/wirtschaftsethik/triple-bottom-line/

den. In Schule und Ausbildung werden viel zu selten Fähigkeiten wie Rhetorik, Kinesik und Dialektik gelehrt. Die Gen Z möchte sich beim Präsentieren ihrer Ideen jedoch gerne sicher fühlen. Entsprechende Coachings können als Belohnung für besondere Ideen und ihre Umsetzung sehr attraktiv sein. Ebenfalls können Schulungen zum Aufbau oder weiteren Ausbau der eigenen Personal Brand, zum Beispiel auf LinkedIn und Instagram, ein starker Anreiz sein und für das Unternehmen gleich doppelt sinnvoll. Denn sogenannte Corporate Influencer werden beim Verkauf unternehmenseigener Produkte und Dienstleistungen immer wichtiger, ebenso als Botschafter:innen zur Stärkung der eigenen Arbeitgeber:innenmarke, um Talente anzuziehen und zu halten.

Generell steht der Aufbau von Future Skills hoch im Kurs bei den Digital Natives. Auch der Erwerb zusätzlicher Fähigkeiten in unternehmerischem Denken und Handeln sowie Coding kann ausgesprochen erstrebenswert sein.

Die Angst vorm Scheitern und damit das eigene enge familiäre und soziale Umfeld enttäuschen zu können, prägt die Gen Z durch die Befähigungsmängel in unserem Ausbildungssystem sehr stark. Doch dies bedeutet im Umkehrschluss auch große Chancen, sich von Wettbewerber:innen um Talente positiv abzuheben. Selbstbewusstsein, Mut und den richtigen Umgang mit Fehlern von hoch erfolgreichen Mentor:innen lernen zu können, ist äußerst angesagt, vor allem dann, wenn der Kontakt zu dem/der Mentor:in eigentlich unerreichbar scheint. Großartige Möglichkeiten zur Incentivierung können zum Beispiel die Begleitung eines Vorstands für eine Woche oder der Aufbau eines Gen Z Boards für die erfolgreichsten jungen Intrapreneur:innen des Unternehmens sein. Das Gen Z Board tauscht sich regelmäßig mit dem Vorstand, weiteren Führungskräften sowie dem Aufsichtsrat und Betriebsrat des Unternehmens aus. Dies ist keine Einbahnstraße der Kompetenzvermittlung. Wir erleben immer wieder bei der Arbeit mit der Gen Z, wie stark Reverse Mentoring auch ältere Generationen befähigt.

Physische und psychische Gesundheit Die mentale und körperliche Gesundheit ist für die Gen Z von überragender Bedeutung. Erstaunlicherweise sind viele Unternehmen weit davon entfernt, hier attraktive Anreize für die Digital Natives zu setzen. Ein Coachingbudget für ein Jahr, um die mentale Gesundheit zu stärken, wird oftmals mit großem Dank angenommen. Als Belohnung können auch die Aussetzung von 10 Prozent der Arbeitszeit für Sportprogramme empfunden werden oder der Ausbau von Sportanlagen im Unternehmen mit Geld, das die Intrapreneur:innen mit ihren Ideen erwirtschaften. Auch die Auslobung von Heimfitnessgeräten ist sehr im Trend, ebenso die Finanzierung von hochwertigen Homeoffice-Möbeln wie dem höhenverstellbaren Schreibtisch.

Netzwerk Die Digital Natives lieben das Netzwerken, offline und online. Eine besonders spannende Incentivierung im Rahmen eines Intrapreneurship-Programms kann ein Budget sein, welches zur Verfügung gestellt wird, um ein firmeninternes Gen-Z-Netzwerk auf- oder auszubauen, inklusive entsprechender Auslandsaufenthalte.

Die Vorteile für das Unternehmen liegen auf der Hand. Das Zusammenführen internationalen, diversen Potenzials kann zu noch mehr Intrapreneurship führen.

Und bitte das Budget für das gemeinsame Feiern nicht vergessen …

Die Doppelspitze eines Vorstandsressorts zu Intrapreneurship mit Gen Z

Alles Streben nach mehr Innovationen und mehr Zukunftsfähigkeit wird jedoch scheitern, wenn Besitzstandswahrung und Hierarchien die Ideen der Gen Z ausbremsen oder gezielt abwürgen.

Wenn Intrapreneurship Bahnbrechendes erreichen soll, braucht es enormen Mut und Veränderungswillen. Gerade in Deutschland sind Führungsebenen weiterhin viel zu alt, zu männlich und in jeglicher Form zu wenig divers.

Wissen Sie, was das Haupterfolgsrezept der israelischen Armee und letztlich der gesamten israelischen Gesellschaft ist?

Nein? Dann blicken wir doch einmal auf den wohl innovativsten Staat der Welt. Im Verhältnis zu den 8,5 Millionen Einwohner:innen entstehen nirgends auf der Welt so viele Start-ups wie hier.[8] Viele erfolgreiche Firmen im Silicon Valley haben israelische Gründer:innen. Ihr Pioniergeist geht auf die Militärstruktur des Landes zurück: In Israel sind sowohl Männer als auch Frauen wehrpflichtig. Wer mit 18 Soldat:in wird, verpflichtet sich dazu, etwaige Fehler oder Missstände im System an den/die ranghöchste:n Offizier:in zu melden. Dieses Phänomen beschreiben die Autoren Dan Senor und Saul Singer in ihrem Buch *Start-up-Nation Israel – Was wir vom innovativsten Land der Welt lernen können.* Gleichzeitig müssen verantwortliche Entscheider:innen jeden solcher Hinweise anhören. Dank dieser Struktur hat sich eine Kultur des Fehlermeldens etabliert, ein stetiger Drang nach Verbesserung und Fortschritt. Das zieht sich durch das gesamte berufliche Leben der Menschen.

Was dies nun für Ihr Unternehmen bedeutet? Wagen Sie das bislang Undenkbare und setzen Sie dem Innovationsstau ein Ende.

Schaffen Sie ein eigenes Vorstands- oder Geschäftsführungsressort für Intrapreneurship. Wie Sie das besetzen? Mit einer Doppelspitze! Eine Person ist aus der Gen Z und eine Person aus einer älteren Generation.

Der Vorsprung der Gen Z in Sachen Digitalisierung gegenüber anderen Generationen ist so groß, dass diese Besetzung auf der Hand liegt. Eine solche Doppelspitze fördert und vereinfacht das fachliche, persönliche und kommunikative Miteinander, um die Innovationskultur in einem Unternehmen qualitativ weiter auszubauen, was im DACH-Raum dringend notwendig ist.

Wir befinden uns mitten in einer Zeitenwende. In einer Zeit, in der wir uns von der Konkurrenz nur abheben können, wenn wir die Talente der Gen Z aktiv und für beide Seiten erfüllend einbinden. Intrapreneur:innen spielen in dieser Zeit eine wichtigere Rolle denn je zuvor, daher gilt es, keine Zeit zu verlieren, die passenden Rahmenbedingungen dafür zu schaffen und sich die Talente zu sichern und sie zu halten.

---

8 https://www.sueddeutsche.de/wirtschaft/unternehmensgruender-israel-welt rekordhalter-der-start-ups-1.3764276

TEIL 3

Gen Z Actions

Impulse für die Zusammenarbeit mit der digitalen Generation

Gen Z entschlüsselt

Die Gen Z polarisiert wie kaum eine Generation zuvor. Was vor allem bei älteren Generationen auf Befremden stößt, die teils sogar befürchten, der Nachwuchs werde die Welt zugrunde richten. Dabei will die Gen Z sie lediglich nach ihren Vorstellungen gestalten.

Fest steht, Unternehmer:innen und Manager:innen macht das nachdenklich. Und mit Blick auf die bevorstehenden Transformationen ahnen sie, dass es tatsächlich höchste Zeit für Veränderung ist. Denn schon sehr bald wird die Gen Z die dominierende Arbeits- und Kaufkraft sein. Wenn Unternehmen dann nicht ins Bild dieser Generation passen, sind sie sehr schnell weg vom Markt.

Um also die künftig so wichtige Zielgruppe der Gen Z einzubinden, müssen sich Unternehmen in vielerlei Hinsicht neu aufstellen. Zu den zentralen Fragen gehören hier besonders folgende:

- Wie gewinne ich die Gen Z als Talente für mein Unternehmen?
- Welche Fähigkeiten zeichnen die Gen Z aus, und wie setze ich diese bestmöglich ein?
- Wie erreiche ich die Gen Z als Zielgruppe?
- Wie sieht ein Umfeld aus, in dem die Gen Z ihr Potenzial unternehmerisch voll entfalten kann?

Natürlich dürfen wir die Kategorisierung in Generationen nicht dogmatisch betrachten. Denn auch wenn wir vergleichbare Präferenzen sowie Verhaltensweisen in der Gen Z feststellen, ist es genauso gut möglich, dass ein:e Vertreter:in einer anderen Generation ähnliche Merkmale aufweist. Das liegt schon deshalb auf der Hand, weil jeder Mensch individuell ist. Jedoch ist die Chance für die beschriebenen Gen-Z-Merkmale bei jenen Menschen am größten, die zwischen 1995 und 2010 geboren worden sind.

Denn sie sind in einem gemeinsamen Kontext aufgewachsen, der ihre Sichtweise auf die Welt beeinflusst hat. Der ist natürlich anders als bei den Generationen davor – allein schon deshalb, weil sich die Welt enorm schnell verändert. Das erklärt auch, warum Generationen in immer kürzeren Zeitspannen definiert werden. Insgesamt ist auch zu beobachten, dass Sinnhaftigkeit, Freiraum, Flexibilität und Ähnliches allen Menschen, egal welchen Alters, im Job immer wichtiger werden. Das liegt vor allem auch darin begründet, dass unser Wohlstandsniveau immer weiter ansteigt und Arbeit nicht mehr allein dazu da ist, den Lebensunterhalt zu finanzieren. Im Vergleich zu anderen Generationen kennt die Gen Z aber keine Zeit, in der die Arbeitgeber:innen »mächtiger« waren als die Arbeitnehmer:innen. Sie fordern diese Ansprüche also viel selbstverständlicher und selbstbewusster ein, weil es ihnen ganz normal erscheint.

Wie gewinne ich die Gen Z als Talente für mein Unternehmen?

Die Jugendlichen und jungen Erwachsenen möchten etwas bewegen und fordern größere Verantwortlichkeit für sich ein – und beklagen, dass man sie ihnen nicht gibt. Vielfach treten sie hochmotiviert an und stellen dann enttäuscht fest, dass sie von starren Strukturen und deren Bewahrer:innen ausgebremst werden. Um ein Bild zu zeichnen: Sie stehen mit aufheulendem Motor am Start, können aber ihre PS nicht auf die Straße bringen, weil ihnen Schlaglöcher (»Dafür haben wir kein Budget«), Hürden (»Sprengen Sie bloß nicht unsere Organisation«) und Schikanen (»Das haben wir noch nie so gemacht«) die volle Fahrt verwehren. Kein Wunder, dass dabei Lust und Tempo auf der Strecke bleiben.

Das ist bei der Gen Z besonders gefährlich. Denn die sozialen Medien halten ihnen ständig eine Alternative vor die Nase. Sie sehen die Posts von Bekannten und Fremden und beneiden deren Möglichkeiten. Früher oder später kommt die Frage: Wieso ich nicht?

Außerdem achtet die Gen Z darauf, ob ihr:e Arbeitgeber:in glaubwürdig ein ökologisch und sozial engagiertes wirtschaftendes Unternehmen ist. Das Gehalt muss stimmen, keine Frage. Doch den jungen Menschen kommt es längst nicht nur aufs Geld an. Neben Selbstbestimmung, Aufstiegsperspektiven, Förderung und Anerkennung hat sich die Lust auf (Um-)Weltverbesserung inzwischen weit nach oben geschoben. Darum haben es Unternehmen, deren Geschäftsmodell auf eine nachhaltig orientierte Zielgruppe ausgelegt ist, leichter. Ein Automobilunternehmen wie Tesla, das in Windeseile eine neue Fabrik hochzieht und reine Elektroautos produziert, ist für junge Techniker:innen und Ingenieur:innen deutlich attraktiver als ein Unternehmen, das am Dieselmotor festhält. Der Erfolg von Start-ups mit cleveren Ideen bei der Talentgewinnung rührt oft genug daher, dass sie modernen Lifestyle und Nachhaltigkeit miteinander verbinden.

Zum Glück gibt es auch für Unternehmen mit herkömmlichen Geschäftsmodellen viele Ansatzpunkte, um junge Menschen von ihrer Nachhaltigkeit zu überzeugen. *Glaubwürdigkeit ist dabei das entscheidende Kriterium.* Nichts verachtet die Gen Z mehr als Greenwashing. Wenn sich hinter einer scheinbar grünen Fassade doch ein Schmutzfink in Sachen Umwelt verbirgt, kehren junge Leute nicht nur ihrer Arbeit, sondern auch der Marke schnell den Rücken zu. Und ja, die Gen Z stellt kritische Fragen und blickt genau hinter die Kulissen. Sie will sichergehen, dass ihre eigenen Wertvorstellungen und die des Unternehmens zueinander passen. Und das sollte auf Gegenseitigkeit beruhen. Die Voraussetzung für eine Neueinstellung sollte ein gegenseitiger Perfect Cultural Fit sein.

Doch die Zeiten, in denen es in den meisten Branchen genügend Bewerber:innen für einen attraktiven Ausbildungs- oder Arbeitsplatz gab, sind Geschichte. Ohne kluge Köpfe, vor allem aus den MINT-Fächern (Mathematik, Informatik, Naturwissenschaften und Technik), können Unternehmen heute kaum noch Innovationen vorantreiben. Deshalb sollten Sie in Vorleistung gehen und auch im Recruiting innovativ sein. In Zeiten des Fachkräftemangels fängt die Bindung an ein Unternehmen nicht erst mit der »Employee Experience«, sondern schon mit der »Candidate Experience«, also dem Bewerbungsprozess, an. Das gilt generell für Auszubildende und besonders in allen Bereichen in ländlichen Regionen, wo das Ringen um Talente besonders groß ist. Die Tatsache, dass Unternehmen mittlerweile gut überlegen müssen, wo ihre potenziellen Bewerber:innen zu finden sind, zeigt, wie sehr aus dem Arbeitgeber:innen- ein Arbeitnehmer:innenmarkt geworden ist. Und da heißt es, sich nichts vorzumachen: Auch die jungen Leute wissen das.

Um die Gen Z als Mitarbeiter:innen zu gewinnen, muss man sie über die Kanäle ansprechen, auf denen sie selber bevorzugt kommunizieren, und sie dort über Berufsoptionen, offene Stellen und Unternehmen informieren. Das erfordert meist einen komplett neuen Ansatz bei der Ansprache dieser Zielgruppe. Hierfür bieten sich nahezu unendliche Möglichkeiten: Seien es Corporate Influencer auf LinkedIn oder authentische Einblicke hinter die Kulissen eines Unternehmens über den TikTok-Kanal. Wer mit der Gaming-Szene (noch) fremdelt, kommt nicht umhin, sie als einen wichtigen Teil der Unterhaltungsindustrie anzusehen. Dies gilt ganz allgemein für die Offenheit für andere Prägungen, aber eben auch für die sogenannte Nerd-Kultur.

Wer jetzt denkt, »Nerds passen nicht in unsere Firmenkultur«, dem sei gesagt: Diversität in der Belegschaft – nicht nur fachlich, sondern auch im Hinblick auf Geschlecht, Alter und Herkunft – ist ein Pluspunkt bei jungen Bewerber:innen. Insbesondere den weiblichen Nachwuchs gilt es hier sensibel im Auge zu behalten und über eigene Events und Rollenvorbilder abzuholen. Ganz allgemein gilt, niemand überzeugt besser als jemand aus der Peergroup. Wer also zufriedene Auszubildende oder Berufsanfänger:innen aus der Gen Z beschäftigt, sollte diese bei der Gestaltung des Recruiting-Materials und bei Bewerbungsgesprächen hinzuziehen oder als zusätzliche Kontaktperson bei Rückfragen benennen.

Konkrete Handlungsempfehlungen

- Haben Sie im Kopf, dass sich junge Talente über soziale Medien ständig vergleichen – und sich damit die Messlatte an einen Arbeitsplatz dramatisch verschoben hat. Seien Sie sich bewusst, was Sie Ihren Mitarbeitenden bieten können und was nicht. Gleichen Sie Letzteres aus.
- Um Talente zu gewinnen, hilft es, wenn diese das Unternehmen persönlich und so nah wie möglich kennen lernen und »spüren« können. Doch Qualität geht hier klar über Quantität. Anstelle von der Kontaktanbahnung in der breiten Masse beispielsweise

auf Messen kann sich der Aufbau und die Pflege weniger, dafür aber engerer persönlicher Kontakte auf Unternehmensevents als gewinnbringend erweisen. Dafür gibt es verschiedene erfolgreiche Tools wie zum Beispiel den Career Lunch.

- Gewähren Sie Gestaltungsfreiheit. Wer die jungen Leute als Auszubildende, Berufseinsteiger:innen oder im nächsten Karriereschritt als qualifizierte Mitarbeiter:innen für sich gewinnen möchte, muss ihnen Denk- und Handlungsfreiräume bieten, innerhalb derer sie sich ausprobieren können. Funktioniert das wie geplant – wunderbar. Funktioniert es nicht, dann geben Sie ihnen die Chance, aus ihren Fehlern zu lernen. Nicht nur Menschen, sondern auch Unternehmen entwickeln sich durch Lernen weiter.
- Nachhaltige Unternehmensführung ist für Bewerber:innen und Mitarbeiter:innen ein zunehmend wichtiges Entscheidungskriterium, und zwar sowohl bei der Auswahl als auch für den Verbleib beim/bei der Arbeitgeber:in. Unser Rat daher: *Gehören Sie zu den Guten und transformieren Sie gegebenenfalls Ihr Unternehmen.*

Welche Fähigkeiten zeichnen die Gen Z aus, und wie setze ich diese bestmöglich ein?

Aufgewachsen im Bewusstsein: »Alles ist möglich«, strebt die Gen Z nach Selbstverwirklichung und freier Entfaltung. Arbeiten, wo und wann sie wollen, das ist ihr Ideal. Arbeitgeber:innen, die dank schillernder Tätigkeiten und ihres guten Images Gen Zler:innen gewinnen, setzen diesen Erfolg durch Ad-hoc-Einsätze, viele Überstunden und somit unplanbare Arbeitstage aufs Spiel. Work-Life-Balance und Freizeitgestaltung sind den Jungen bedeutend wichtiger als den Vorgängergenerationen. Auch ihre Loyalität zum/zur Arbeitgeber:in ist tendenziell schwächer ausgeprägt. Auch die Gen Z will geführt werden. Aber nicht im Sinne von: »Ich sage dir, was du tun musst und wie du sein sollst«, sondern im Sinne von: »Ich hole dein schlummerndes Talent aus dir heraus. Ich mache dich stark.«

Die Gen Z hat hohe Ansprüche an ihre Führungskräfte. Anweisungen und Bewertungen kommen nicht gut an. Sie bevorzugen Impulse, Inspiration, Motivation, das Aufzeigen von Lösungswegen und positive Verstärker. Die Devise der Gen Z: Führungskräfte sollten Visionäre:innen und keine Kontrolleur:innen sein. Sie suchen damit eher Mentor:innen und Coaches und weniger »klassische« Chef:innen.

Das gilt auch für eine Teilgruppe der Gen Z, die im Vergleich zu früheren Generationen zahlen- und anteilsmäßig immer größer wird: junge Menschen mit Migrationshintergrund. Sie stellen rund ein Drittel der Bewerber:innen und sind meist in Deutschland geboren. Das heißt, ihre Eltern oder Großeltern sind nach 1945 nach Deutschland gekommen. Sie kommen überdurchschnittlich häufig aus sozial schwierigen Verhältnissen und haben schlechtere Chancen auf eine Top-Ausbildung und später hochbezahlte Arbeitsplätze. Die, die es schaffen, sich durchzusetzen, zeichnen sich durch starke Willenskraft und Resilienz aus. Qualitäten, die absolute Erfolgsfaktoren für Unternehmen sind. Für diese stellen sie ein bislang kaum erschlossenes Potenzial dar, das man durch passende Bildungs- und Entwicklungsangebote erschließen kann.

Rückkopplung und häufiges Feedback dient der Gen Z zur Kalibrierung ihres Anspruchs an sich selbst und ihrer Wirkung auf andere. Wer den Eindruck gewonnen hat, die Jungen buhlten um Komplimente und verbale Streicheleinheiten, der unterschätzt ihr Bedürfnis nach schonungsloser Ehrlichkeit. Die Gen Z will zu den Guten gehören und selbst gut sein. Deshalb setzt sie viel daran, aus eigenen Fehlern zu lernen. Wenn sie Mist gebaut hat, will sie diesen keineswegs unter den Tisch gekehrt wissen. Nein, man möge es ihr bitte klipp und klar sagen – aber auf eine von Sympathie getragene, wertschätzende und ihre Weiterentwicklung ermöglichende Art und Weise.

Das sollte auch bei der Anweisung von Tätigkeiten beachtet werden. Auf Anordnungen reagieren die Jungen ausgesprochen allergisch. Sie wollen verstehen, warum sie etwas tun sollen, welches Motiv hinter der Aufforderung steht und wem entsprechendes Handeln nützt.

Eine wichtige Rolle bei der Führung generationsübergreifender Teams können Vertreter:innen der Gen Y spielen. Einerseits haben sie eine größere Nähe zur Arbeitswelt der Boomer und Mitarbeiter:innen der Gen X. Andererseits stehen sie der Gen Z altersmäßig am nächsten und werden von ihr am ehesten als Peers akzeptiert. Die Mitdreißiger:innen können die Vorbehalte und Bedürfnisse der Vorgängergenerationen moderieren und mit den Bedarfen und Erwartungen der Gen Z in Einklang bringen.

Wer bislang bei Diversität nur an Geschlechterunterschiede und Sozialisationshintergründe denkt, sollte den Fokus noch aus einem weiteren Grund auf die intergenerative Zusammenarbeit ausweiten: Die Berücksichtigung unterschiedlicher Perspektiven fördert nachweislich den Erfolg eines Unternehmens. Wer, wenn nicht die digital extrem fitte Gen Z, könnte besser zum Aufspüren von Online-Innovationen beitragen? Digital Natives gehen mit einer anderen Sichtweise an Themen heran und haben heutzutage einen Wissensschatz, zu dem die ältere Generation gar keinen Zugang mehr findet. Im Zusammenspiel von Alt und Jung können völlig neue Ideen entstehen und auf ihre Markttauglichkeit abgeklopft werden. Reverse Mentoring ist ein essenzieller Faktor, um zu diesem Wissen der Gen Z Zugang zu finden.

Konkrete Handlungsempfehlungen

- Transparenz und Offenheit in allen Belangen sorgen für Vertrauensbildung und Stärkung der Unternehmenskultur. Formate wie »Ask-Me-Anything« können zwar manchmal auch unangenehme Themen aufwerfen, sorgen aber für mehr Einblicke und besseren Informationsfluss innerhalb der Firma.
- Führen Sie Mentoringprogramme ein! Mentoring lohnt sich für beide Seiten – die Unternehmen und die Mitarbeiter:innen. Gegenseitig lernt man voneinander, was dem Gegenüber wichtig ist, wie wer tickt. Dabei bleibt hervorzuheben, dass die Gen Z mit Technologie, Social Media & Co. sehr intuitiv umgeht, was Unternehmen wiederum für sich nutzen sollten. Hier ist ein Reverse Mentoring Program sinnvoll, bei dem die jüngere Belegschaft in die Rolle des/der Mentors/Mentorin schlüpft und ihr Wissen an ältere Mitarbeitende weitergibt.

- Aktive Förderung für junge Menschen mit Migrationshintergrund bringt Vorteile für Geförderte und Fördernde: Geförderten wird eine bessere Berufslaufbahn ermöglicht, Fördernde bekommen direkten Zugriff auf die Talente von morgen. Ein probater Weg insbesondere auch, um mehr weibliche Arbeitskräfte zu gewinnen.
- Die Gen Zler:innen sind als Digital Natives in einem Umfeld aufgewachsen, das sie an permanente Kommunikation und Feedback gewöhnt hat. Folglich wollen sie stets verstehen, wo sie gerade stehen – jährliche Mitarbeiter:innengespräche sind für sie damit definitiv nicht ausreichend. Führungskräfte sollten ihre Feedbackkultur evaluieren und an die Bedürfnisse der jungen Generation anpassen – an dieser Stelle sind Unternehmen sowohl zeitlich als auch inhaltlich weit stärker gefordert.
- Die Personalabteilungen haben es in der Hand, ihre Führungskräfte zum Thema Gen Z zu sensibilisieren und über Trainingsmaßnahmen zu schulen. Denkbar sind darüber hinaus Generationen-Workshops und regelmäßige Impulsvorträge von Vertreter:innen unterschiedlicher Generationen.

Wie erreiche ich die Gen Z als Zielgruppe?

Die Antwort auf diese Frage liegt nahe: Anstatt über die Gen Z nachzudenken und *über* sie zu reden, sollten die Marketingexperten:innen *mit* den jungen Erwachsenen reden und sie bei der Entscheidung über Marketingstrategien, die Auswahl der Kanäle und bei der Ansprache potenzieller Kund:innen miteinbeziehen. Nicht viele Unternehmen wagen das bisher. Allerdings wirkt nichts befremdlicher als Mittdreißiger:innen oder Mitvierziger:innen, die versuchen, die Jugendsprache zu kopieren. Jede Generation hat verbindende Codes, Buzzwords oder auch Assoziationen mit bestimmten Wörtern, die auf Ältere oder Jüngere ganz anders wirken – Sprache prägt die Kultur. In dieser Hinsicht ist die Kluft zwischen den Generationen durchaus vergleichbar mit der zwischen unterschiedlichen Landeskulturen. Hier leuchtet es ein, dass man diese Unterschiede berücksichtigen muss, um am Markt Erfolg zu haben. Das gilt auch für neue Popkulturen – zum Beispiel Gaming –, die längst keine Nischen mehr sind, sondern Mainstream und ein riesiges Business-Potenzial darstellen. Und egal, mit welcher Kultur man sich beschäftigt: Das höchste Gebot ist immer Respekt und Toleranz – eben auch gegenüber Generationskulturen.

Viele Unternehmen klagen darüber, die junge Zielgruppe nicht mehr so leicht erreichen zu können, wie das bei den Millennials oder der Gen X noch der Fall war. Kein Wunder, wenn man bedenkt, dass sich die Zahl der Kanäle vervielfacht und sich auch die Formate drastisch verändert haben. Hat man früher die Menschen über Massenmedien erreicht, so muss man heute in stark fragmentierte Märkte eindringen. Die Gen Z ist mit digitalen Medien und Endgeräten aufgewachsen. Sie verbringt im Durchschnitt täglich rund 5,8 Stunden am Smartphone. Und wissenschaftlichen Erkenntnissen zufolge ist gerade die Aufmerksamkeitsspanne der Gen Z deutlich kürzer als bei ihren Vorgänger:innen – nämlich nur etwa acht Sekunden.

Es geht aber nicht nur um das Erreichen, sondern auch um das Begeistern der jungen Menschen. Dazu muss die Werbung über solche Medien und Formate laufen, die die jungen Leute tatsächlich nutzen. Ältere mögen über TikTok lächeln – für jüngere Zielgruppen ist es ein wichtiges Medium. 70 Prozent der User:innen stammen aus der Gen Z, und sie widmen den Kurzvideos mehr Zeit als sogar Netflix! Der Social- und Mobile-First-Ansatz ist entscheidend bei der Gen Z. Denn man muss da sein, wo die Zielgruppe ist. Sei es auf Social Media, auf einem Festival oder bald mit einer immersiven Metaverse-Store-Erfahrung.

Was man sich auch zunutze machen kann: Die Gen Z liebt es, Meinungen, Erfahrungen und Erlebnisse miteinander zu teilen, einschließlich Empfehlungen für Produkte und Dienstleistungen. Laut verschiedenen Studien lassen sich mehr als die Hälfte aller Jugendlichen beim Kauf von Influencer:innen beeinflussen. Da können auch Corporate Influencer einen entscheidenden Beitrag leisten – denn sie geben einem Unternehmen Persönlichkeit und tragen dessen Werte nach außen.

Mit Blick auf ihre Digitalprägung muss die Gen Z ganz anders angesprochen werden als frühere Generationen. Die digitale Welt ist für sie eine ebenso reale Welt wie ihre physische Umgebung. Unwillkürlich fragt man sich, mit welcher Selbstsicherheit (oder Ignoranz?) Marketingfachleute älterer Generationen annehmen, sie könnten eine Werbekampagne entwerfen, die 15- bis 18-Jährige zum Kauf eines Produkts oder einer Dienstleistung bewegen soll. Ein Lob, wenn sie sich von ihren Söhnen oder Töchtern beraten lassen! Das ist aber vergleichbar mit Männern, die einen Shop für Menstruationsprodukte hochziehen und meinen, die Zielgruppe dank ihrer Partnerinnen bestens zu verstehen.

Konkrete Handlungsempfehlungen

- Junge Menschen in die Kampagnenplanung einbinden und diesen Prozess professionalisieren. Beispiele sind das »Shadow Board« von Gucci oder das »CEO Global Reverse Mentor Program« von Estée Lauder, bei dem Millennials und Gen-Z-Talente mit Führungspersonen zusammenarbeiten.
- Content und Werbung auf Kanäle und Zielgruppe anpassen: Video-Content im 9:16-Format, kurze, relevante und regelmäßige Posts, neue Plattformen schnell und agil in Angriff nehmen und dabei die richtige Sprache sprechen.
- Nerd-Kultur und den Gaming-Markt ernst nehmen und sich darin ausprobieren.
- Berührungspunkte von Marke und Kund:innen für die Gen Z optimieren, datenbasiert Produkte verbessern und den Wünschen der Zielgruppe anpassen, in Erlebnissen denken, aus denen digitaler Content gemacht werden kann, um ein größeres Publikum zu erreichen.
- Mit Influencer:innen arbeiten, denn sie sind als Vorbilder der Gen Z wertvoll für das Branding und fördern Kaufentscheidungen.
- Mitarbeitende als Marke aufbauen: In einem Unternehmen mit 1 000 Mitarbeitenden können 1 000 Menschen beim Aufbau ihrer persönlichen Marke gefördert werden. Das kann eine Kraft freisetzen, die vom Employer Branding und von den Marketingbemühungen der Firma selbst gar nicht erreicht werden kann.

Wie sieht ein Umfeld aus, in dem die Gen Z ihr Potenzial unternehmerisch voll entfalten kann?

Die rasante technische Entwicklung führt dazu, dass die Halbwertzeit erworbenen Wissens immer kürzer wird. Diese Erkenntnis schmerzt vor allem die Vorgängergenerationen der Gen Z. Sie begreifen, dass der Stolz auf erreichte Studienabschlüsse und angehäuftes Fachwissen nicht reicht, um in der Zukunft zu bestehen.

Für die Gen Z stellt sich die Lage völlig anders dar:

- Bei ihr klafft die Bildungsschere noch weiter auseinander als bei früheren Generationen. Bei vielen jungen Menschen besteht ein hoher Nachholbedarf, bei anderen wird er erst mit der Zeit erkennbar werden.
- Die Gen Z weiß, dass sie auch nach Ausbildung und Studium nicht ums Lernen herumkommen wird. Insbesondere, da sie keine repetitive Arbeit erledigen möchte.
- Die Gen Z kennt ihren Knappheitspreis. Im Einklang mit den marktwirtschaftlichen Regeln erwartet sie von ihren künftigen Arbeitgeber:innen Unterstützung bei der fachlichen und persönlichen Entwicklung. Dazu gehören auch Coaching, Mentoring und ausreichend Zeit für Weiterbildung.
- Sie will selbst mit anpacken und die nötigen gesellschaftlichen Veränderungen mit anstoßen. Es liegt für sie nahe, damit an ihren unmittelbaren Einsatzorten zu beginnen – und das sind früher oder später die Unternehmen.
- Ihr aktivistischer Charakter und die Möglichkeiten der sozialen Medien befähigen die Gen Z, auch ohne viel Erfahrung oder unternehmerischer Bildung erfolgreiche Start-ups und Bewegungen aufzubauen. Die junge Generation versteht es hierbei besonders gut, aus extrem begrenzten Möglichkeiten viel rauszuholen.

Die Gen Z ist für die Wirtschaft gewissermaßen ein Geschenk des Himmels. Denn selbst wenn es die Unternehmen noch nicht realisiert haben sollten: Für ihren künftigen Erfolg sind sie auf genau diese jungen Menschen angewiesen, weil nur sie jene Innovationen erdenken, erzeugen und vermarkten können, nach der ihre gleichaltrigen Peers auf der ganzen Welt in Kürze streben werden. Die jungen Leute wissen das. Aber Entscheider:innen hören ihnen oft nicht (richtig) zu, weil sie denken, sie wüssten es besser.

Für Unternehmen stellt sich daher nicht die Frage, *ob* sie junge Arbeitnehmer:innen der Gen Z gewinnen und fördern sollen. Sie sind knapp, sie sind auf dem Sprung an die Macht, und sie wollen es – so einfach ist das. Der einzig zielführende Ansatz lautet, *wie* sie dies am besten tun.

Ein Ansatz ist die Neigung der Jungen zur selbstständigen, zur unternehmerischen Tätigkeit. Studien haben gezeigt, dass sie liebend gern ihre eigenen Ideen umsetzen würden. Sie wären gern Entrepreneur:in, doch sie fühlen sich durch Schule und Ausbildung nicht ausreichend dazu befähigt. Darüber klagen sie übereinstimmend und mit aller Deutlichkeit. Doch Gehör finden sie bislang kaum.

Deshalb kommen wir gar nicht auf den Gedanken, dass wir für diese Generation etwas verändern müssen.

Das deutsche Schulsystem sieht den Erwerb von Wissen in einem vielfältigen Fächerkanon vor. Aber persönliche Talente werden darin kaum ausgebildet. Was Punkte bringt, sind Momentaufnahmen von Exzellenzleistungen, die idealerweise erst im späteren Arbeitsleben zu Teamerfolgen zusammengeführt werden. Das aber geschieht bislang weder gezielt noch systematisch. Vielmehr ist es bis heute nur einem Glücksfall (und aufmerksamen Führungskräften und Personaler:innen!) zu verdanken, wenn das Wollen und das Können der Talente auf das Dürfen seitens ihrer Arbeitgeber:innen trifft und ihre Kompetenzen entsprechend weiterentwickelt werden. Auf diese Weise ist die Nachwuchsförderung zu einer Funktion von Durchsetzungsmacht, vakanten Jobprofilen und des Zufalls geworden.

Dieses Vabanquespiel können wir uns angesichts der Herausforderungen unser aller Zukunft nicht mehr leisten.

Es braucht neue Ansätze, eine neue Orientierung, um jungen Menschen und den Unternehmen gleichermaßen zum Erfolg zu verhelfen. Eine Perspektive, die Lernen als intergeneratives Scharnier zum Nutzen der ganzen Gesellschaft versteht.

Wenn Unternehmen der Gen Z etwas geben wollen, was sie sich wünscht und braucht, dann ist es die *Befähigung zum Machen*. Das beginnt beim Zuhören und mündet in der Stärkung des Selbstvertrauens der Gen Z in die eigenen Talente. Es braucht einen ganzheitlichen Ansatz, der Umfeld, Tools und Inhalte gleichermaßen berücksichtigt. Ein Umfeld, das individuelles Lernen mit dem Medium der Wahl und im eigenverantwortlichen Tempo ermöglicht. Digitale Tools und eine digitale Ausstattung, die Erfolgserlebnisse gewähren und die Selbstsicherheit steigern. Und Inhalte, die zu lernen Freude machen und die Mitglieder der Gen Z so einzigartig sein lassen, wie sie es gern sein möchten.

Genau dann macht Lernen wieder Spaß. Genau dann findet Befähigung statt. Und genau dann werden aus Azubis und Praktikant:innen wertvolle Intrapreneur:innen im Unternehmen.

Konkrete Handlungsempfehlungen

- Es braucht neue Orientierungspunkte für die Aus- und Weiterbildung der Gen Z, was unternehmerischen respektive beruflichen Erfolg ausmacht und welche Wege dorthin führen.
- Fördern Sie aktiv Gen Zler:innen und junge Talente, sie brauchen trotz der Masse an Informationen im Internet Mentoring und Network, um auf der unternehmerischen Reise erfolgreich sein zu können.
- Binden Sie Talente auch in strategische Prozesse ein. In Transformationsprozessen, wie zum Beispiel auf der nächsten Stufe der Digitalisierung, dem Metaversum, spielt die Gen Z eine wichtige Rolle. Sie hat die Fähigkeiten, nicht nur diese technische, sondern auch die kulturelle Entwicklung in die richtigen Bahnen zu leiten, und bringt als Gründungsgeneration von morgen die Kompetenzen mit, die wir dafür brauchen.
- Jedes Großunternehmen und jedes Familienunternehmen braucht ein erstklassiges Intrapreneurship-Programm. Da die Gen Z oftmals erfolgversprechende Märkte, Produkte und Dienstleistungen

frühzeitiger erkennt als ältere Generationen, muss sie relevanter, das heißt auch entscheidungsbefugter, Teil eines Teams sein, welches das Intrapreneurship-Konzept mitentwickelt oder ein vorhandenes optimiert.

Unser Anspruch mit diesem Buch war, die Gen Z zu entschlüsseln. Und wir haben im Laufe des Prozesses viele wertvolle Erfahrungen gemacht und zahlreiche Erkenntnisse erlangt und festgestellt: So geheimnisvoll ist diese Generation gar nicht. Die wichtigste Schlussfolgerung, die wir nach diesem spannenden Projekt ziehen konnten:

Hören wir der Gen Z doch einfach mal zu!